la cocina del amor

Néctar divino de papaya *(receta en pág. 167)*

la cocina del **amor**

Guillermo Ferrara

Más de **100 recetas y rituales**
para **estimular los sentidos**
y **el deseo**

Título original: Cocina afrodisíaca para dioses y diosas

Edición Especial para:
BOOKSPAN
501 Franklin Avenue
Garden City, New York 11530
U.S.A.

© 2008 Ediciones Credimar

Reservados todos los derechos.
Quedan rigurosamente prohibidas, sin la
autorización escrita de los titulares del
copyright, bajo las sanciones establecidas en las leyes, la reproducción total o parcial
de esta obra por cualquier medio o procedimiento,
comprendidos la reprografía y el tratamiento
informático, y la distribución de ejemplares de ella mediante alquiler o préstamo públicos.

Impreso en U.S.A. - Printed in U.S.A.
ISBN: 978-1-60751-475-6

Índice

2. LOS DIOSES GRIEGOS

3. LOS DIOSES HINDÚES

4. DIOSES MAYAS Y AZTECAS

5. DIVINIDADES UNIVERSALES

Dedicatoria

Al espíritu de la diosa original.
Y a los dioses que están presentes desde siempre en la mirada de quien está despierto.
Sobre todo a Dionisio, Apolo y Shiva. Y especialmente a la diosa Kali,
que me protege y concede mis deseos.
A las mujeres que irradian la divinidad con su simple presencia.
A los que no se guían por las creencias estrictas y mecánicas de la tradición,
sino por la conexión del corazón humano con la divinidad
a través de la experiencia directa.
A los que sienten que no hay más que un único Dios-Diosa sin nombre
pero con muchas formas, de la misma manera que un árbol tiene un sólo tronco
pero muchas ramas y muchos frutos para manifestarse.
Desde mi buda interior.

Agradecimientos

A quienes me enseñaron a cocinar con arte y amor: mi madre Carmen,
y a Mariela, Eliana y Heidie. Diosas en el arte del amor y de la cocina.

Introducción

Desde el primer soplo de vida, el ser humano empieza a alimentarse energéticamente. Nuestro primer alimento es la respiración y el segundo, la leche materna. Luego llegan los alimentos, amorosamente elaborados por la madre.
En mi país, Argentina, la comida en familia es muy importante, toda una celebración diaria a a base de platos cocinados con esmero y dedicación, un deleite de diferentes sabores y texturas.

Pero el ritmo de vida actual nos ha jugado una mala pasada. Comemos siempre fuera de casa, un mal hábito y una carencia emocional grave que convierte este mágico momento en un simple gesto de supervivencia.

Desde tiempos antiguos, las comidas eran sinónimo de festejo y agradecimiento a la Tierra por otorgar el alimento. Ahora se come pensando en el negocio, en el trabajo, en el deporte, etc. Ya no saboreamos los platos, simplemente pasamos el trámite de comer, pensando en mil cosas mientras lo hacemos. Milenarias y sabias culturas orientales como el yoga, aconsejan masticar muchas veces para que las enzimas digestivas comiencen a procesar el alimento. Pero la mayoría acabamos engullendo la comida casi sin masticar, simplemente satisfaciendo el instinto primario animal de supervivencia.

También se está perdiendo la costumbre de invitar a comer a los amigos o la familia a casa. Preferimos citarnos en el restaurante. Claro, no hay que limpiar los platos, ni cocinar, ni tampoco permitir que vean tu casa. Pero esto te priva de deleitarte cocinando para tus seres queridos, sintiendo el ritual de celebración, dejando que puedas brindar un poco de amor y alegría a través de tu preparación personal.

Con este libro os invito a disfrutar con la cocina celebrativa, a recuperar la conciencia de las divinidades, de los alimentos, del placer de comer, del artista interior que expresa lo que siente a través de la comida.

El acto de cocinar es un juego, algo divertido, una celebración. Yo, con mi copa de vino, escucho música griega, sirtakis dinámicos, a los tres tenores o a Demis Roussos y créeme que se eleva el espíritu. Es un regalo divino. Sentir el despliegue de cocinar con alegría, para los dioses y para los invitados es un auténtico lujo. Estimulas los sentidos, es un cuadro de colores y sabores, de olores que embriagan y te llevan a soñar, a inspirarte, a sentir que la vida es un disfrute a celebrar y no un trabajo a realizar.

El enfoque de la vida cambia cuando cocinas. Estimulas todos los sentidos con música, bebidas, sabores, texturas, aromas, colores, combinaciones... todo es una invitación al deleite. Siempre sostuve que una de las formas más visibles de expresar amor es cocinando. El acto de cocinar conlleva vida.

Un amigo científico decía que el amor se genera en la cocina. La cocina tiene un clima especial, irradia intimidad, es como un útero donde se gesta el alimento. Tengo otro amigo que no tiene casi nada en la nevera. Uno puede conocer a la gente de muchas formas: leyendo el lenguaje del cuerpo que nunca miente, con tests, por sus pensamientos y gestos, etc, pero también por lo que tiene en la nevera y por cómo se alimenta.

No comer bien es un claro indicio de no amarse a uno mismo. El cuerpo necesita cuidados y dedicación. Por ejemplo, los antiguos griegos hacían énfasis en dos cosas: el saber del conocimiento y el cuidado del cuerpo. Toda la cultura occidental está marcada por los griegos. El arte, la comida, la literatura, la política, la arquitectura, los deportes, etc. Los dioses griegos son desatados, sensuales, dionisíacos, caprichosos. Para la antigua civilización occidental, los dioses y los mitos eran el centro de la vida, antes de llegar a las futuras iglesias dogmáticas. Los únicos profetas de esta religión fueron sus poetas y artistas. Esto representó el sueño perfecto de gente mucho más libre: la búsqueda del misterio de la naturaleza y del ser humano.

¿Nunca te has preguntado por qué en tiempos antiguos la gente ofrecía alimento a los dioses? Incluso desde hace milenios, la paga mensual o salario se llamaba así porque a los trabajadores se les pagaba con sal. De allí que cuando saldas una deuda se dice que la cuenta está saldada. Mientras que los cristianos ofrecían corderos en sacrificio; los griegos realizaban comidas exhuberantes donde cantaban, bailaban, hacían el amor y recitaban poesías. Los banquetes o bodas actuales son un símil de las celebraciones ancestrales donde se juntaban a comer y celebrar; los hindúes también preparaban (y continúan haciéndolo) alimentos para cada divinidad.

Como digo, con este libro os invito a cocinar espiritualmente de forma divertida, energética y sana. A comprender que todo lo que fue puesto en la Tierra es para deleitarnos, un regalo que la vida nos da. Incluso, si quieres seducir a tu chica o tu chico, cocinar en un ambiente romántico, sublime, con velas y música, con aromas que abran el corazón, será una fantástica excusa para demostrarle tu amor, sin necesidad de palabras, simplemente con platos capaces de sacudir las barreras emocionales de cualquier comensal. Todas las recetas provienen de mi madre, de mis parejas y de mis viajes por Grecia, México e India; sin olvidar la experta ayuda de mi editor.

Échale un vistazo al mundo actual. ¿Hay paz o guerra? Los conflictos están a la orden del día: Estados Unidos e Irak, Israel y Líbano, independentistas, terroristas, revolucionarios de países que quieren ser más que otros y se empeñan en dividir algo que no puede dividirse ni separarse... ¿Acaso no vivimos en un mundo dominado por Ares, el dios de la guerra para los griegos?

Los dioses no creen en el bien y el mal, sino en el poder y la vida, en lo justo. Lo que sucede es que antes se luchaba por la gloria y el honor, ahora se hace puramente por intereses económicos.

La mitología griega cuenta que los dioses enviaron a Pandora al mundo para castigar a los humanos por su falta de respeto. Su hermano Prometeo le regaló una caja que contenía todos los males del mundo. Pero Pandora no pudo evitar la curiosidad, abrió la caja y extendió todos los males por la Tierra, quedando tan sólo la esperanza atrapada en su interior.

La tradición también cuenta que Zeus enviaba sus truenos a los humanos cuando no le agradaba algo. De igual manera, en Oriente, Shiva es el dios destructor de los hindúes, pero también está Brahma el Creador y Vishnú el conservador. Es la trinidad que forma un equilibrio de fuerzas evolutivas. Más cercano a Occidente tenemos a Jesús que destrozó con furia el templo de los mercaderes. Todo es un ciclo que va del caos y la destrucción, al orden y la paz.

Los dioses nos rodean por todas partes: Eros, el dios del amor, el equivalente de Cupido, que siempre mencionamos cuando alguien se enamora. Hipnos, el dios del sueño y de la noche, del que se desencadena la hipnosis y el misterio de los sueños. Apolo, el dios de la belleza y las artes, tan presente en los artistas que encienden su luz interior, en las mejores cocinas del mundo, en las melodías de músicos que nos emocionan... También tenemos muy cerca a Afrodita. Esta diosa está en los alimentos, perfumes y sabores afrodisíacos (de ahí proviene la palabra griega que significa «lo que puede alterar los sentido»). Como también en el culto de la belleza femenina; allá por donde mires, Afrodita está presente en la cosmética, el cuidado de la belleza personal, las portadas de revistas...

Las divinidades forman parte de nuestra existencia. No cuesta nada agradecer interiormente al dios del mar por los peces que estás comiendo e imaginar todo lo que han pasado para que lleguen hasta tu plato. No cuesta nada agradecer a la diosa de la tierra por el maíz que comerás o las patatas que te ha regalado. ¿Pérdida de tiempo? No, para nada. Al contrario, a cambio sentirás beneficiosos cambios bioquímicos además de emocionales.

Cuando estuve en Grecia y contemplé la Acrópolis, los monumentos y las estatuas que construyeron hace milenios, sentí admiración por aquella cultura tan bella y sabia, donde el arte y la sabiduría eran el néctar y objetivo de la vida. Pero me sucedió algo sorprendente: al salir de uno de los museos, quedé maravillado con los trabajos artesanales y dibujos en platos, vasos para beber de una belleza exquisita, jarras para el vino y el agua con tallados y dibujos de guerreros y sabios. Esa época era un culto a lo divino a través de actos como comer, dibujar, tallar, escribir y construir. La decepción vino cuando al salir del museo, vi a dos o tres de los encargados de mantenimiento... ¡bebiendo en vasos de plástico comunes y

corrientes! Y me pregunté: ¿hemos avanzado? Antes se bebía el vino en unos jarros artesanales fabulosos, ahora en vasos de plástico o de vidrio. ¿No será que nos estamos alejando de la capacidad artística y meditativa? ¿No ha llegado el momento de agradecer, de celebrar, de usar la energía en la creatividad?

Cocinar es celebrar, deleitar y disfrutar. Se trata de contagiar nuestra alegría, nuestro esmero y cariño a través de un buen plato. Exactamente igual que las abuelas o las madres enriquecían las comidas con esa dosis extra de amor, que tan bien le sentaban a nuestro estómago... y a nuestro corazón.

Olvidemos los bocadillos, las pizzas y la comida preparada. La alimentación inteligente propone equilibrio y armonía.

Venerar las fuerzas de la vida a través de los alimentos no es simplemente una cualidad espiritual sino también un hecho científico. Se ha demostrado cómo cambia la vibración del agua con un simple pensamiento positivo o negativo. Mirando su composición a través del microscopio, el aspecto de sus partículas refleja claramente el estado anímico y vibracional que está percibiendo. ¡Todo es pura energía!

Es el momento de recuperar la conciencia de lo divino, y en este libro te propongo hacerlo a través de la comida. No se trata de creer o no creer, sino de vivirlo como experiencia propia. Es un valor añadido que una persona tiene o no tiene, no se puede fabricar ya que nace de cada corazón personal. En tus manos está la elección de elevarte o disminuirte como ser humano que puede expandir su alma.

Dejemos que los alimentos sean un tributo y agradecimiento a las fuerzas supremas de la vida, que no siempre vemos por la ceguera y creencias de la mente. Estas fuerzas se abren de par en par, en tu día a día, son la fragancia de las vivencias, el condimento para saborear la más importante de las comidas: tu propia vida.

Guillermo Ferrara,
Barcelona , marzo de 2007

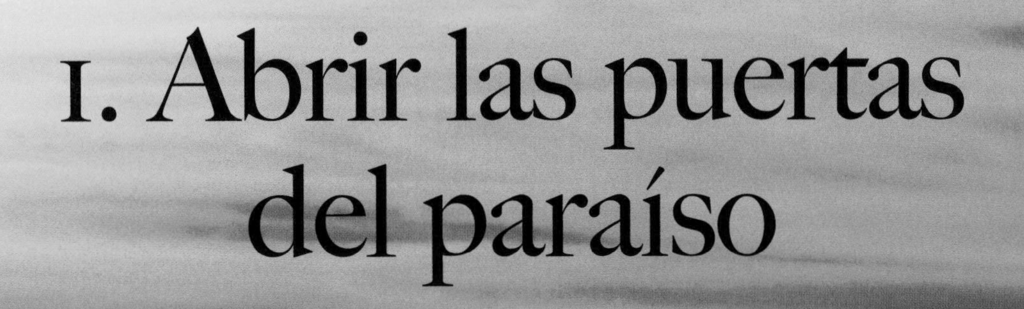

I. Abrir las puertas del paraíso

Consejos generales

Dos cosas antes de empezar...

1. Mira tu plato y regocíjate con los manjares, pero no olvides mirar hacia las estrellas.
2. No creas que los dioses no están o que son cosas del pasado; en realidad siempre han estado aquí, sólo que los hemos olvidado.

Empezamos un apasionante camino a través de sabrosas y sugerentes recetas y su relación con las distintas divinidades. Sintiendo que hay un Dios-Diosa con múltiples formas, atributos y características. Todas, chispas de un mismo fuego, rayos de una misma rueda, olas del mismo océano.

Casi todas las recetas son afrodisíacas y, en honor a ello, Afrodita, la erótica diosa griega, tendrá su culto a través de los preparados afrodisíacos. De la misma forma que Poseidón, el dios del mar, tendrá los pescados y mariscos. En honor a Dionisio, el dios griego del vino y la celebración, prepararemos bebidas y postres con almíbar. Kali, la diosa tántrica de la pasión y la sexualidad, tendrá comidas rojas y potentes. Jesús nos ofrecerá diferentes tipos de panes, (he tenido dos panaderías y puedo asegurar que es un gran placer elaborar el pan), también pescados y corderos.

Y así, iremos recorriendo por cada divinidad sus atributos particulares.

A Buda le rendiremos honor con alimentos vegetarianos. A Quetzacoalt, el dios azteca, inventor del cacao y el chocolate... ¡vamos a venerarlo chupándonos los dedos con el chocolate, llamado «el alimento de los dioses»!

Y a Shiva, el dios de la danza cósmica y el yoga, le brindaremos desayunos energéticos y comidas livianas. Zeus, el dios griego de todos los dioses del Olimpo, será honrado con poderosas comidas bien condimentadas, como también Brahma, el Creador de la tradición hindú, tendrá sus alimentos variados. Y Lakshmi, la diosa de la dulzura, nos sorprenderá con los postres más sensuales y dulces.

Disfruta del viaje, en cuerpo y alma.

¡Bienvenido al Paraíso!

El arte de cocinar con amor

El cuerpo humano necesita nutrientes, proteínas, aminoácidos, grasas y carbohidratos. La energía vital viene de los alimentos, del agua, y del sol. Al combinar determinados alimentos compatibles estamos efectuando un equilibrio del combustible necesario para la vitalidad.

Vamos a buscar que los platos y recetas aquí expuestos sean afrodisíacos y estimulantes de la energía de la vida, que no es otra que la energía sexual.

Quizás una pareja no sepa que la mujer necesita comer determinados alimentos Yin o femeninos para seguir emitiendo la vibración que al hombre le atrae. Y el hombre, en contrapartida, necesita consumir alimentos Yang o masculinos para magnetizar su cuerpo energético y que a la mujer le atraiga. Más adelante tendrás una tabla de alimentos Yin y Yang para orientarte.

Mientras elaboras los platos, los sentimientos que te embarguen y quieras volcar en la comida serán el primer impulso para cocinar. Cocinar por obligación puede transformarse en una disciplina en blanco y negro. Para darle color y vida a la cocina, el motor que te mueva a cocinar tiene que ser la distensión, un placer divertido, la posibilidad de amar cocinando...

Será una alquimia donde el sentimiento se transforme en alimento; la vitalidad y el clima de unidad se proyecte a través de las fragancias y aromas de la cocina; y la conversación y el ambiente de hogar se magnetice con un aura de alegría y felicidad.

Los alimentos seleccionados para cada receta serán de la mejor calidad posible, estudiando las combinaciones y eligiendo las recetas de acuerdo al paladar, las necesidades y la época del año.

El aprendizaje en la cocina es un arte. Cada plato es como un cuadro, donde los colores los ponen los ingredientes y el motivo nuestra creatividad personal. Aprender a cocinar o potenciar el don, si ya lo tienes, es navegar con la imaginación y la expresión artística. Un simple plato puede ser una obra de arte a la vista y al gusto con sólo inyectarle una dosis inteligente de creación.

Cuando tengamos por fin el plato sobre la mesa, podemos ofrecer nuestra pequeña obra de arte a la divinidad espiritual que más nos inspire ese día. ¿Y si no sientes admiración por ninguna divinidad y sólo te interesan las recetas afrodisíacas? No hay problema, como lo divino está en todas partes, ofrece la comida a tu alma, a tu ser interior y al de los demás comensales. La divinidad reside en todos los corazones. El amor es lo más importante. El amor es el sello de las deidades. Si quieres percibirlas, hazlo desde el corazón.

Cocina con el alma y transmitirás tu esencia a cada plato, transformándolo así en una proyección de tu espíritu.

Comer es sentir

¿Sabes por qué es tan importante la actitud espiritual y la capacidad de expresar alegría cuando cocinamos? Está claro, todo lo que existe es energía, y hay una ley energética que nos enseña que «recibimos lo que emitimos». Por lo tanto, si emitimos tristeza, provocamos melancolía; pero si estamos felices, producimos alegría. Es como un efecto boomerang.

No dejes de leer el libro *Como agua para el chocolate*, de Laura Esquivel, donde la protagonista es una cocinera que proyecta sus penas de amor a los alimentos y lo que sucede luego es realmente ingenioso y bello, incluso científicamente cierto.

Solemos descuidar la relación que hay entre el mundo emocional y el mundo digestivo. Cuando una persona no «digiere» una situación emocional, una etapa de tensión o un problema afectivo, lo más probable es que tampoco pueda digerir los alimentos y ni siquiera tenga apetito. El apetito es un regalo divino, uno está abierto, alegre y receptivo del festín al cual se entregarán los sentidos.

Pero comer con alegría es un don que no todo el mundo tiene. Cuando en 1998 viajé hasta la multiuniversidad Osho de la ciudad de Puna (India), lo que más me llamó la atención fue la forma de comer de los *sannyasins* (practicantes espirituales). Al aire libre, bajo el tibio sol del mediodía, la enorme cantidad de mesas llenas de comensales era un espectáculo digno de vivir. No por la multitud de gente, sino porque la mayoría disfrutaba de la comida. Algunos lo hacían en silencio, saboreando cada bocado, otros hablaban suavemente, reían y gozaban, masticando conscientemente, meditando al comer, dejando que ese placer embargara todo el ser.

Y es que es de vital importancia aprender a sentir los sabores, dejar que el cuerpo reciba los alimentos masticados y mezclados con las enzimas y con una buena actitud.

Una cuestión de salud

El prestigioso doctor en medicina ayurvédica, Deepak Chopra, aconseja no comer cuando se está de mal humor, y mucho menos comer de pie. Los aficionados al bar, la comida rápida y las tapitas tendrían que saber que es tremendamente perjudicial para la salud del estómago y la digestión el hecho de no comer sentado cómodamente.

Según los principios básicos de la medicina china, no conviene discutir durante la hora del almuerzo. Según esta sabia doctrina, el meridiano del corazón (uno de los 12 meridianos principales que trasportan energía por el cuerpo) rige el período que va de las 11 a las 13 h, para luego activarse el meridiano del intestino delgado (de 13 a 15 h).

Por ello, la combinación de enojo-comida-corazón no resulta nada recomendable.

Para la medicina china y ayurvédica hay cinco emociones nocivas para los órganos: la tristeza afecta a los pulmones; el hastío y el hartazgo, al corazón; la preocupación, al bazo; el enojo, al hígado; y el miedo, a la vejiga. Si tenemos alguna de estas emociones a la hora de comer, los efectos serán doblemente perjudiciales. La emociones que nos embarguen mientras comemos tienen que ser limpias y estar orientadas a la celebración de la vida, a meditar, a reír y a festejar conscientemente.

Tampoco pierdas de vista la pirámide de horarios y actividades del día. Para empezar bien el día necesitamos un aporte extra de energía. De ahí que se diga: «Desayuna como un emperador, come como un rey, merienda como un pobre y cena como un mendigo». En la naturaleza hay leyes de energía que debemos conocer. El día es para vivir, la noche para descansar. Cuando el sol cae al atardecer, comienza la hora del descanso y la inactividad casi general. Un ser humano que quiera mantener una vida energética y larga (si el destino y los dioses se lo obsequian) tiene que cuidar su motor digestivo.

Para conseguirlo, conviene no dejar entrar emociones fuertes a la hora de la comida ni tampoco cenar copiosamente antes de acostarse. Ambas cosas afectan nuestro mundo emocional y digestivo. Incluso es probable que no recordemos lo que soñamos (y estos mensajes del alma son muy importantes para nuestra evolución). Así que recuerda: cocinar no es sólo seguir una receta, es también digerir, combinar, conocer y saborear.

Comida y deseo sexual

En las culturas antiguas como Grecia y en las de Oriente Medio y Lejano Oriente (como India, Pakistán, Arabia y Japón), se sabía que muchos alimentos poseen propiedades afrodisíacas y encienden el impulso sexual. Especias, raíces, verduras, frutos... como el ginseng, el apio, los mariscos, la canela, la pimienta, entre otros, han sido desde hace siglos estimulantes naturales del deseo sexual.

Casi todas las recetas que presentaré en esta obra tienen un carácter afrodisíaco para potenciar la relación entre comida y sexualidad. A través de ellas nos sentiremos más dinámicos, plenos, energizados y listos para compartir el condimento del amor a través del sexo.

La comida y el sexo son vehículos para el deleite, que es la materia prima de la cual está hecha la vida. Comida y cuerpo son sagrados, necesitan cuidados y atención. Durante nueve meses comimos del cuerpo de nuestra madre... ¡estuvimos dentro de él! La comida es divina desde antes del nacimiento. El alimento es el sustento para la vida; y durante esa etapa, el cuerpo genera alimento para la madre y para el futuro bebé.

Los sabios de antaño nos han legado combinaciones y alimentos para estimular la sexualidad de forma natural y canalizarla hacia el placer, alimento vital para la supervivencia y la salud emocional. Si luego, además, anexamos nuestro arte, contribuimos a mantener las llamas del fuego del amor.

Alimentos femeninos y masculinos

En la naturaleza todo es bipolar; tiene los dos opuestos complementarios. Femenino y masculino conforman una balanza de equilibrio energético en todas las manifestaciones de la vida. Verano e invierno, día y noche, sol y luna, mujer y hombre, etc. Con los alimentos sucede lo mismo. Hay alimentos electricamente femeninos y otros magnéticamente masculinos.

Yin y Yang son las corrientes que generan la vida. Yin es frío, tiene receptividad y se caracteriza por ser liviano. Yang, en cambio, es caliente, activo y produce energía. La medicina china hace énfasis en combinar ambos principios para tener salud, proporcionada por una alimentación inteligente. Hipócrates ya lo mencionó hace milenios: «Que tu alimento sea tu medicina».

Normalmente, la mujer necesita alimentos Yin para potenciar su lado femenino (lo que atraerá a su opuesto masculino) y, en cambio, el hombre tiene que consumir alimentos Yang para vibrar y elevar su energía masculina (lo que atraerá, como consecuencia, a su opuesto femenino). Pero lo más importante es combinar ambas energías.

Por ejemplo, la mujer tiene que consumir aproximadamente un 70 por ciento de alimentos femeninos y un 30 por ciento de alimentos masculinos. El hombre igual cantidad: 70 por ciento de alimentos masculinos y 30 por ciento de alimentos femeninos. De esta forma, si el hombre consume mayormente carnes, pescados o proteínas como la soja, la mujer tendría que consumir verduras, hortalizas y legumbres, para que ambos se sientan siempre energéticamente atraídos.

Lo que primero atrae a diferentes personas entre sí es la energía y la vibración que emiten. Puede ser una vibración sexual, espiritual o incluso intelectual. El fenómeno de atracción y repulsión viene del mundo interior de cada uno, pero también intervienen otros factores como: el olor corporal (que directamente tiene que ver con lo que comes), la vibración personal y el lenguaje del cuerpo.

Todo vibra y es energía. Por lo tanto, hay que seleccionar bien los alimentos y sus combinaciones para que estemos en armonía energética. Esto hace que la llama interior del corazón, del cuerpo y de la mente esté encendida y elevada.

Cuando alguien sigue una dieta estricta y se reprime, puede hacer descender la llama del fuego personal y, como consecuencia, deprimirse o no tener vitalidad.

Una dieta equilibrada y practicar ejercicio de forma regular (yoga, tantra, danza, pilates, footing... o la actividad que prefieras) hará que alimentación, descanso y ejercicio estén bien complementados.

Cocina inteligente

Todo régimen es perjudicial para la salud, pues implica represión y prohibición. En cambio, relacionarnos de forma equilibrada con la comida nos hace crecer y evolucionar como personas. Ingerir las calorías necesarias, descansar, hacer ejercicio y permitir que el cuerpo y el alma se nutran con placeres constantes (pintura, arte, música, masajes, comidas, sexualidad, meditación...) hará que nuestra vida sea más equilibrada y placentera.

Alimentos femeninos: aceitunas, agua, hortalizas, frutas, leche, quesos, algas marinas, té, verduras, centeno, remolacha, ostras, yogur, menta, almendras, manteca, mejillones, pulpo, soja, etc.

Alimentos masculinos: pescados, carnes, huevos, rábano, ajo, cebolla, lentejas, trigo, zanahorias, apio, manzanas, plátanos, berro, achicoria, endivia, sal, crustáceos, harina de maiz, etc.

** Los cereales son alimentos equilibrados de Yin y Yang, sumamente beneficiosos tanto para la mujer como para el hombre.*

No debemos forzar el cuerpo con dietas represoras, hemos nacido para el deleite y disfrute del presente. Comer inteligentemente significa dedicar tiempo y amor a preparar los alimentos que necesitamos. Hay que decir «no» rotundamente a la comida basura, muerta y cargada de calorías.

En Estados Unidos, por ejemplo, es alarmante la cantidad de gente obesa que existe debido a dos aspectos: la comida basura y el poco amor propio, que utiliza la comida como parche para tapar huecos existenciales. El hambre de amor es una necesidad que el alma debe saciar, pero no con comida sino con otro tipo de alimento: amor y respeto. Si no te amas a ti mismo y a los demás (cuánto más mejor, ya que el amor se expande y no se gasta) seguro que acabas comiendo en exceso.

El amor y la comida están directamente ligados. Cuando amamos a alguien, nos gusta cocinar para esa persona, la comida es un símbolo o manifestación de lo que sentimos. En realidad, la comida debería ser la excusa para festejar que amamos, vivimos, soñamos y estamos vivos.

Una cocina inteligente nos invita a preparar platos ricos, sanos y energéticos; vigilando las calorías que ingerimos y quemamos durante el día. Si haces ejercicio de forma regular y tu sistema glandular funciona correctamente no hay razón para aumentar de peso ni abandonar el cuerpo.

Comida y represión

La actitud mental a la hora de comer es muy importante, ya que la digestión depende de la tranquilidad. Emociones negativas, tensión, apuros, estrés y olvido del disfrute significa mala digestión, estreñimiento, y problemas digestivos.

Si comemos con los sentidos abiertos, ofrecemos el alimento a los dioses y sentimos que lo que ingerimos es sabroso y nutritivo (proporciona energía y vitalidad al cuerpo), estaremos alimentándonos de la mejor manera posible. La represión es negativa en todos los órdenes de la vida; en el terreno alimenticio es un agravante para la psiquis, pues se genera un deseo no satisfecho. La pregunta es: ¿tienes el deseo? ¿lo sientes? ¿si no lo realizas, adónde va ese deseo? ¿Dónde va la energía del deseo que no se satisface?

Lamentablemente, se forma una energía densa y queda atrapada en nuestro interior; No se expresa. «Expresión» significa 'quitar una presión'. «Represión», en cambio, es lo contrario, significa «mantener la presión». ¡Y si reprimes generas esa presión en tu interior! Al vivir presionado, no se puede amar, sentir, crear, soñar, experimentar...

Al comer sin reprimirnos, sabiendo que elegimos conscientemente los alimentos que más nos conviene (que no siempre son los que más nos gustan) tendremos el sentido del gusto satisfecho y también un estado de luminosidad en el cuerpo físico, el cuerpo emocional y el cuerpo mental.

Destrucción, creación y conservación

Los dioses hindúes Shiva, Brahma y Vishnú conforman una trinidad que representa la destrucción, la creación y la conservación de todo lo que existe en la vida. Estos tres vértices de la pirámide están entremezclados en la evolución humana.

Por ejemplo: se destruye una relación, al cabo de un tiempo, se crea otra y luego se busca conservarla. La frase «Te amaré para siempre» simplemente hace referencia a nuestro anhelo de querer conservar las cosas, de eternizar la felicidad.

Borra de tu menú los malos hábitos, los alimentos pesados, las frituras, las grasas, los alimentos excesivamente procesados, etc. Y crea un nuevo concepto basado en alimentos sanos y ligeros, buenos hábitos en los horarios (comer cada tres horas y en poca cantidad), masticar bien, comer en entornos tranquilos y apacibles, etc. Finalmente, aplica la conservación de tu luz personal a través de la comida, las emociones y la actitud del espíritu.

Siempre que quieras contemplar el horizonte de tu vida, plantéate todo aquello que te conviene dejar atrás y lo que debes conservar, desde ropa, recuerdos, hábitos, pensamientos, costumbres alimenticias, etc.

Destruir una mala alimentación, crear una nueva e inteligente forma de alimentarse y conservar la conciencia de mantenimiento y cuidado personal.

Mastica tu alimento y tus relaciones

Las emociones pueden provocar malas digestiones. Si además eres de los que simplemente tragas en lugar de masticar y saborear los alimentos, el problema se puede agravar.

Mi padre me decía que había que masticar las ideas antes de llevarlas a cabo. «Masticar» significa 'procesar'. La vida es para saborearla, masticarla, experimentarla. Al cocinar, al comer, al sentir la devoción por las fuerzas de la vida y las divinidades, entramos en otra frecuencia de vida, donde el placer pasa a ser nuestro motor; y la satisfacción y felicidad, la consecuencia natural.

El placer es el lenguaje de los dioses y también de los humanos que quieren sentir esa vibración divina en su interior. Así que es importante aprender a masticar, cerrar los ojos, sentir, gozar cada bocado. Aplícate este consejo también en tus relaciones personales: mastica bien los malos recuerdos (para deshecharlos), digiere las emociones negativas que provocan nudos en el estómago y así te sentirás más libre y nuevo cada día.

¿Somos lo que comemos... o lo que digerimos?

No hay que confundir una buena alimentación con una mala digestión. Comer sano no significa que estemos escogiendo los mejores alimentos para nuestro cuerpo. Puede que consumas almendras pero que tengas una alergía o repulsión a dicho alimento sin saberlo, o poca tolerancia a su digestión. No somos lo que comemos sino lo que digerimos.

La digestión es un fuego que consume y transforma el poder de los alimentos para nutrir las células, los músculos, los huesos, los órganos y los diferentes sistemas del organismo. Recuerda que el motor del cuerpo está siempre en funcionamiento. Imagina que el motor de tu coche estuviera encendido siempre, día y noche. ¿Qué sucedería si nunca lo apagaras?, ¿si no le dieras descanso? Está claro: se fundiría, se cansaría, se desgastaría por completo. Por eso es recomendable darle una tregua al organismo y hacer un ayuno de limpieza y descanso de vez en cuando.

La digestión depende de la tranquilidad mientras comes y de la correcta combinación de alimentos. También te aconsejo que digieras viejas heridas del pasado emocional que quizás están dentro del subconsciente y afectan a los órganos, al estómago, al hígado y a los intestinos.

Muchas enfermedades vienen por mantener sin digerir viejos enojos y conflictos, penas y sufrimientos. Mantén el alimento del amor como nutrición general y el fuego de la comprensión para digerir las emociones que no sirven a la evolución espiritual.

Haz el intento de perdonar y digerir el conflicto con un familiar con el que no te llevas bien, con un amigo o amiga que te traicionó, con un socio que no fue claro, o con una ex pareja con la que viviste días de dolor (sólo recuerda los momentos de éxtasis paradisíaco) y libera ese atasco energético.

Digerir bien alimentos y emociones es vital para sentirnos libres, livianos y sin cadenas ni conflictos. Así es como realmente tenemos que vivir. Al perdonar, al digerir el pasado y comenzar desde un nuevo punto estamos beneficiándonos enormemente. De nada sirve cargar con luchas internas o enturbiar el horizonte de nuestro destino. Esto sólo nos aletarga, como si fuésemos a dormir después de una copiosa cena.

Alimentos que activan la sexualidad

Sexualidad y alimentación nutren al ser humano, quien debe saciar tanto su necesidad de comer como su necesidad de afecto y estímulo del cuerpo. Existen numerosas técnicas sobre el tantra que he mencionado en otros libros míos: *El arte del tantra*, *Lecciones de sexo tántrico* y *Tantra, el sexo sentido*, que hacen que las relaciones personales a nivel sexual sean enormemente más profundas, conscientes y placenteras. Además aumentan el nivel de conciencia y unidad entre los amantes.

El tantra es un compendio que visiona la posibilidad de realización suprema en un individuo. Lo hace desde muchos medios: filosófico, artístico, psicológico, científico, yóguico, meditativo, sexual y alimenticio; estos dos últimos se tratan en esta obra.

Es sabido que la alimentación afecta a la psiquis, al cuerpo y a las emociones, pero fundamentalmente al aumento o deterioro de la energía sexual. Determinados alimentos son beneficiosos para que el cuerpo vibre sexualmente en un octava de atracción constante para generar no sólo magnetismo hacia el otro, sino también hacia los acontecimientos de la vida personal.

Mucha gente no sabe que el éxito de todo emprendimiento: artístico, empresarial, personal... tiene una marcada influencia en el hecho de tener o no tener magnetismo sexual e intelectual. La energía sexual es oro, el elemento de transformación de los impulsos animales en conciencia divina. Por ello, al ingerir alimentos altamente estimulantes vamos a poder crear y ser artistas de nuestro destino a través de la energía sexual canalizada y la apertura de conciencia.

Los griegos, por ejemplo, también relacionaban alimentación, festejo y sexualidad. Sobre todo en los banquetes conmemorativos a Dionisio, el dios del placer, el gozo y el vino.

Las tradiciones que se han liberado en la comida también lo han hecho inteligentemente en el acto sexual. El gozo es el néctar que alimenta nuestra capacidad divina, un bálsamo entre tanto estrés y preocupaciones. Yo siempre oriento a mis alumnos a cumplir con la cita de Shakespeare que menciona: «Ningún minuto de nuestra vida debería pasarse sin sentir algún placer». Placer y conciencia es una fórmula de vida que puede llevar hacia la felicidad personal.

De arriba a bajo, y de izquierda a derecha: mariscos, hoja de ginkgo biloba, avena, palomitas de maíz, canela, apio, licor de damiana, ginseng y miel, todos ellos poderosos afrodisíacos de acción muy diversa. Así por ejemplo, la avena otorga una gran fuerza a medio plazo en el varón y en cambio el ginseng es más ágil, tanto para hombres como para mujeres.

Los alimentos positivos para la sexualidad son muchos y variados: especias, hortalizas, condimentos... Los más efectivos son el chocolate, la canela, el apio, el ajo, el marisco y el chile. Tampoco está de más perfumarse con musk o almizcle para un ritual amoroso, donde comida y sexo participen por igual.

Ritual para los amados

Los rituales nos recuerdan que estamos en terreno sagrado. Lo sagrado es cuestión de actitud. No tiene que ver con el lugar físico; por lo que no hace falta ir a ninguna mezquita o iglesia. Tu hogar es tu templo. Y tu corazón, el tesoro que está lleno de energía luminosa y creativa para compartir.

Me encanta preparar estos rituales y seducir a través de ellos. Una mujer caerá en tus brazos llena de éxtasis si le dedicas una cena para su diosa y la divinidad que escojas para celebrar.

Los rituales tienen poder. Una persona, una pareja o un grupo de comensales puede unir la energía de su pensamiento, su intención y la potencia del alimento para visualizar un acto que quieran que se realice. Es la magia que hemos perdido, práctica que otras culturas pasadas respetaban y practicaban. Hemos perdido el culto a los dioses y las fuerzas de la naturaleza. Recobrar el espíritu celebrativo, consciente y sagrado, hará que nuestra vida se eleve más espiritual y materialmente.

El objetivo de toda vida es la gloria, la realización del destino y el uso de los dones que la inteligencia infinita nos ha regalado para manifestarnos. Dejemos, pues, que una comida pueda ser un resorte para despertar el poder que hay en cada uno.

Paso 1. Enciende velas

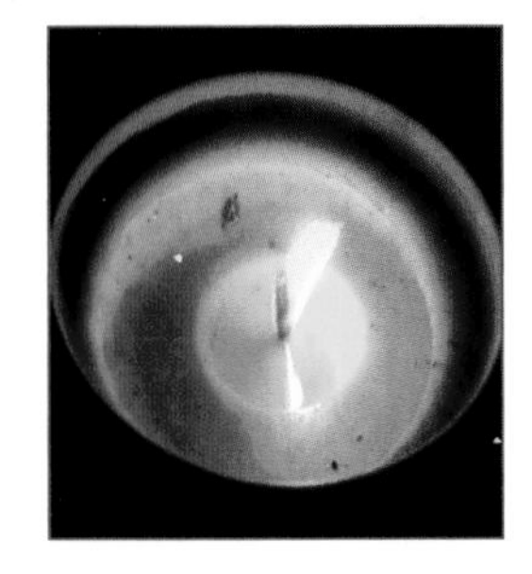

Las velas, además de decorar bellamente el ambiente, encienden el elemento fuego. El fuego es un elemento mágico que se eleva. Sus llamas hipnóticas calientan y vibran nuestro corazón. Un corazón de fuego es un corazón vivo, lleno de entusiasmo, creación, deseo sexual, espiritualidad y efervescencia personal. Las personas que tienen el fuego a flor de piel se distinguen del resto. Hay una luz, un encanto personal, un aura de brillo a su alrededor que acompaña su presencia.

Al encender velas tienes la oportunidad de magnetizarlas con una intención personal. Puedes dedicar ese fuego, esa luz a lo que tú quieras. Puedes pedir mentalmente un deseo y la ayuda de alguna divinidad. Tu petición será atendida, no lo dudes ni por un momento porque... ¡la divinidad está en tu interior!

Enciende velas y tómate tu tiempo para consagrarlas a algo especial. Si quieres potenciar una relación, un proyecto o cualquier situación que esté semiencendida o en ascuas, activa su fuego interior con este ritual. Siente cómo el ambiente se llena de luz, transporta ese encanto a la comida que realizarás. Este ritual es una forma de demostrar amor y complicidad a los compañeros de camino que han coincidido en nuestro destino personal.

Paso 2. Sírvete una copa de vino

El vino es la bebida de los dioses. El vino viene de la vid. Y la vid es la representación de la vida en la tierra. El vino es una bebida que llena de luz el alma.

La celebración y el estado de euforia y poder que brinda el vino es el recuerdo de que no todo es cordura, lógica, razón; la vida es un fenómeno sorpresivo y cambiante que moviliza el espíritu hacia el reino superior.

Pero si excedes el límite, te hará caer en un estado deplorable, dependiente e inconsciente. En el camino espiritual las llaves deben usarse correctamente. Demasiado vino (como todos los excesos) turba la visión clara que necesitamos para crecer. Mi padre siempre decía: «Lo poco agrada y lo mucho enfada».

Una copa es un recipiente vacío que se llena del néctar de las uvas y los elementos que la potenciaron: la tierra (la madre), el sol (el padre), el viento (el espíritu), el agua (el alimento). Hay mucha magia en una botella de vino. El proceso hasta tu boca es hermoso, preciso, confiado, paciente. Dionisio está en cada cepa, en cada sorbo.

Una copa de vino puede abrirte las puertas de lo mágico, de la aventura, de la confianza y la alegría. Estos símbolos y características hacen que camines paralelamente con la visión que los dioses tienen para nosotros. Las divinidades han creado este juego llamado «vida» para que juguemos y no para que nos peleemos. Este regalo es para disfrutar y deleitarse.

Los conflictos vienen por no comprender que el lenguaje de la vida es el lenguaje del placer. Deja que cada sorbo te muestre que eres un ser de luz y poder. Se dice (lo cual no significa que sea del todo cierto) que Jesús comió y bebió vino en su última cena. Incluso, en el ritual de la Iglesia, se bebe vino como representación de la sangre de Cristo. ¿Por qué se elige una cena y una copa de vino para celebrar y conmemorar una reunión?

El vino y la comida siempre han estado presentes en fiestas y celebraciones. Deja que tu copa de vino se llene de magia y vida. A mí, personalmente, me encanta beberlo en las copas que compré en un viaje a Grecia. Puedes hacerlo en tu copa preferida para que tenga más intimidad con tu alma.

Recuerda que el camino de equilibrio también se puede evocar en el concepto de ver la copa medio llena o medio vacía.

Dice Kahlil Gibran es su magnífico libro *El Profeta*:

«Y en Otoño, cuando recojáis la uva de vuestros viñedos para llevarla al lagar, decidle en vuestro corazón: 'También yo soy un viñedo y se recogerá mi fruto para llevarlo al lagar.

Y como vino nuevo seré guardado en vasijas eternas.

Y en invierno, cuando saquéis el vino que haya en vuestro corazón, un canto para cada copa.

Y que haya en el canto un pensamiento para los días otoñales, para los viñedos y para el lagar'».

Paso 3. Pon música

El ambiente y la inspiración que despierta la música son tremendamente creativos. Me encanta cocinar escuchando a mis artistas preferidos, voces y melodías que despiertan el alma: el sirtaki griego, Demis Roussos, Bee Gees, música chill out o los tres tenores. De todas formas, cada uno escoge su gusto libremente. La música siempre ha sido portadora de emociones e historias. Y es curioso saber por ejemplo que la ópera Carmina Burana, de Karl Orff, representa monjes del medioevo que se congregaban en fiestas con vino, mujeres y placeres sensuales, por eso la opera es erótica y sensual.

Los autores de los antiguos textos sobre los que Orff compuso la obra se llamaron a sí mismos «goliardos». Eran desertores de los estudios religiosos, clérigos vagantes, al estilo de aquel frailecillo que acompañaba a Robin Hood.

Estos monjes eran muy críticos con las corrupciones del clero. Les aburría la vida monástica de contemplación, y no vieron mal ni pecado en las tentaciones mundanas. Orff tomó selecciones de los temas más representativos de la poesía de los clérigos vagantes: lo cambiante, la primavera y sus múltiples manifestaciones de vida; la embriaguez, el sarcasmo y los placeres sensuales, a los cuales eran tan aficionados.

Las canciones de los grandes músicos nos llenan de historias de magia y vida. Y de la misma forma que la música afecta a las plantas, al agua y a los estados emocionales, también ocurre cuando cocinamos al son de nuestra música preferida.

Paso 4. Lee poesía

Un tributo a tu compañera o compañero de comida es leerle una poesía o el extracto de un texto. *El Profeta*, de Khalil Gibran puede ser una gran fuente de inspiración y seducción. ¿Quién no cae rendido con una poesía, una buena copa de vino, una música embriagadora y una voz sensual? El ambiente que se genera es magnético y mágico. Cada uno escoje el texto que prefiera; me permito recomendar a Gibran como un genio en expresar los sentimientos humanos a través del fuego y la miel de las letras.

Dice respecto del autoconocimiento:

«Vuestros corazones conocen en silencio los secretos de los días y de las noches.
Mas vuestros oídos ansían oír lo que vuestro corazón sabe.
Deseáis conocer en palabras aquello que siempre conocísteis en pensamiento.
Deseáis tocar con los dedos el cuerpo desnudo de vuestros sueños.
Y es bueno que así lo deseéis.
La fuente secreta de vuestra alma debe brotar y correr, murmurando hacia el mar.
Y el tesoro de vuestras profundidades infinitas necesita velarse a vuestros ojos.
Pero no existen balanzas para pesar vuestros tesoros desconocidos.
Y no queráis explorar las profundidades de vuestro conocimiento con varas ni con sondas.
Porque el yo es un mar sin límites y sin medidas.
No digáis: 'Encontré la verdad'.
Decid más bien: 'Hallé una verdad'.
No digáis: 'Encontré el camino del alma'.
Decid más bien: 'Hallé el alma andando por mi camino'.
Porque el alma anda por todos los caminos.
El alma no marcha en línea recta ni crece como una caña.
El alma se despliega, como un loto de pétalos innumerables.»

Paso 5. El delantal

Un simple delantal, además de ser bueno para no mancharse la ropa, es la túnica que el cocinero lleva como distintivo.

Antiguamente, los sabios de todas las culturas como la griega, egipcia, árabe o hindú vestían túnicas. ¿Por qué? Es un simbolismo muy significativo. La túnica o delantal son vestimentas de una sola pieza. Representan la unidad del cuerpo. No son como un pantalón o una camisa, que marcan una división entre lo alto y lo bajo, lo superior y lo inferior. ¿Quién hizo esta división? La iglesia católica.

Todo lo que genera división es causa de problemas y conflictos. Muchos conflictos entre los instintos (zona baja), los anhelos del corazón (zona media) y las diferentes formas de pensar (zona alta) han hecho que el ser humano permanezca dividido entre actuar, sentir y pensar.

Por ello, cuando te coloques el delantal, de una sola pieza, siente que eres único e irrepetible, que eres un dios o una diosa que se va a manifestar a través del arte de la cocina.

Paso 6. Selecciona los alimentos

Ir al supermercado una vez a la semana es una tarea de selección de las recetas que tienes en mente elaborar. Es bueno tener una despensa con productos e ir renovando los más frescos.

Una vez que escojas alguna de las recetas que te presentaré para cada dios o diosa, el primer paso será colocar todos los ingredientes en la mesa de la cocina para que estén a mano y bien ordenados. Haz un buen Feng Shui en tu cocina. Orden, limpieza, preparación y todo a mano. Así cocinarás como si fuese una meditación dinámica: con la mente en silencio y el corazón encendido.

Cocinar es un deleite que permite explorar sabores y texturas con la combinación de alimentos en forma de obras de arte. Cada plato cumple el sabio proverbio: «La comida entra por los ojos»; no sólo por la forma de elaborarlo y cocinarlo, sino también por el talento que se exhibe en la manera de presentarlo.

Paso 7. Cuando cocines, canta

Cocinar cantando es uno de los grandes placeres de la vida, en el que entran en juego todos los sentidos. Mientras haces ambas cosas: disfrutas al máximo de la experiencia de regalarle energía al cuerpo, endulzas el sentido del oído, potencias el ingenio, estimulas el gusto con diferentes sabores, avivas el tacto con el contacto de los alimentos, respetas el ambiente sagrado, intimas con la conciencia divina, estableces una unión con la persona que comerá contigo (comer solo también es un acto de amor hacia uno mismo). Y por último, y no menos importante, disfrutas de la sensualidad y el magnetismo de una comida o una cena.

Al cantar y cocinar con alegría se están liberando endorfinas por el torrente sanguíneo, las conocidas «hormonas de la felicidad». Canta tus canciones preferidas, permítete soñar y disfrutar. Estás cocinando para los dioses y las diosas... La música nos hace bailar, emocionarnos, sentir, vibrar; sería muy difícil vivir sin música.

Paso 8. Vístete con elegancia

Hay un proverbio que dice: «Vístete bien hasta para pedir limosna». La elegancia es un sello distintivo que puede abrir puertas. Si dejas que la ropa sea realmente un accesorio que engalana tu desnudez natural (que es algo bello, natural y espiritual), potenciarás tu cuerpo, tu aura y tu autoestima.

Elige ropa que te haga sentir bien. No hace falta esperar a Navidad para ponerse guapo o guapa. Vístete para honrar la divinidad que hay en ti. Primero para ti, para adorar tu ser interior, y luego para los demás, al poder compartirlo. Emite belleza, elegancia y la chispa que llevas dentro.

Paso 9. Sorprende a tu amante con la cena

«¿Qué te ha pasado?» «¿Te sientes bien?» «¡Uy, creo que me han cambiado a mi marido (o a mi novio o novia...)». Son algunas de las expresiones que puede pronunciar tu invitado ante la novedad de que le cocines –si es que no acostumbras a brindarle manjares a menudo.

Cocinar para el ser al que amamos es un símbolo de sentimiento, cuidado y agasajo. Igual otro día puede ser un masaje o un baño con aceites relajantes. Todo lo que pueda incentivar el amor y el cuidado personal como un elemento de creación en la pareja o con los amigos.

Cuando pones todo tu talento, creatividad y magia en una velada especial con una cena romántica, hay momentos que quedan para siempre grabados en el alma.

El amor se cuece en la cocina

La *alimentación* de una pareja requiere atención, sorpresa, intimidad, conexión, alegría y amistad. Pero también hay un aspecto importante, se trata de compartir la comida; saber alimentarse energéticamente para generar atracción a nivel de la piel (recuerda que lo que emitimos desde nuestro interior hacia afuera hará que los demás sientan atracción o repulsión).

Por ello, las diferentes recetas afrodisíacas y naturalmente sanas que he diseñado personalmente están indicadas para ir combinando elementos que nos aportan una buena vibración.

Al entrar en una casa enseguida se distingue si tiene un halo especial, y si en la cocina vibra lo que llamamos «energía de hogar». Si la cocina es fría, si en la nevera no hay nada, si no tenemos una despensa donde guardar alimentos, verduras y demás como reserva, será una casa pero no un hogar.

El sentimiento de intimidad y protección que brinda la cocina no está en las demás habitaciones. Es importante observar el Feng Shui que hay en nuestra cocina. Alimentos, utensilios, reservas, incluso la iluminación influye. Tiene que ser un sitio que predisponga a estar allí, que tenga «calor», como un herrero que forja en su fuelle las espadas de la sabiduría, la intimidad, la conciencia y la celebración.

La cocina es un ingrediente excelente para la vida en pareja. Ambos pueden cocinar de forma alternativa para así sorprenderse y regalarse mutuamente. Si vives solo o sola, prepárate a ti mismo lo que más te apetezca, y cuando tengas invitados no dudes en lucir tu don.

Cocina y chakras

Dentro del mapa energético humano, los chakras nos marcan los puntos de energía básicos que corresponden a la supervivencia: el sexo, la comida y el amor. Se hallan ubicados respectivamente en la zona sexual (debajo del ombligo), en la boca del estómago y en el centro del pecho.

El funcionamiento correcto de nuestros centros nos da armonía. Y hay tres más: uno en la zona de la garganta (el creativo), otro en medio de la frente (el intuitivo) y otro en lo alto de la cabeza (el espiritual).

Cuando un chakra y el deseo correspondiente que genera no están satisfechos, casi siempre se desvía hacia el chakra alimenticio y como consecuencia, acabamos comiendo en exceso por ansiedad o estrés. Aunque también puede ocurrir lo contrario y que, debido a un problema emocional o sexual, dejemos de comer.

Para que esto no suceda, os propongo algunos consejos de cocina yóguica, que ayudará a alinear los chakras y a tener una alimentación correcta, sin que sea un vehículo para tapar la ansiedad.

Cocina para gente urbana

Quizá seas de los que siempre se quejan: «No tengo tiempo para nada». Pero si para algo necesitamos disponer de tiempo, es para comer tranquilamente.

Si empleas ocho horas para el trabajo y ocho horas para el sueño, te siguen quedando ocho más para otras tareas. Uno no debería pasar más de 45 minutos en la cocina. Para economizar tiempo os sugiero movimientos sincronizados, concentración, atención a cada uno de los pasos para preparar el plato e, incluso, ir lavando los utensillos y ollas que

Consejos de comida yóguica

1. Mientras comes, ten presente que la comida también es una manifestación de la Conciencia Cósmica y que la estás utilizando para mantener el cuerpo (laboratorio de tu sexualidad), cuidar tu vida emocional y salud psicológica y saciar la necesidad de progreso espiritual.
2. Come sólo cuando estés en calma. Las emociones influyen en el cuerpo y la digestión se dificulta generalmente por las tensiones, la ira y otros estados negativos de la mente. Estar sentado, en lugar de permanecer de pie para comer, también ayuda a relajarse y asegura una mejor digestión, ya que somos lo que digerimos, no lo que comemos.
3. Haz tres comidas regulares (desayuno, almuerzo y cena) y evita comer entre ellas. El sistema digestivo, a diferencia del corazón, necesita tiempo para descansar. Comer entre comidas puede causar problemas tales como obesidad, constipación y falta de energía.
4. Mastica completamente la comida. Esto reduce el tamaño de las partículas y las mezcla con la saliva, lo que facilita la acción de las enzimas en el proceso digestivo.
5. Come una cantidad sustancial de comida cruda y fresca, y evita alimentos muy cocidos o demasiado procesados.
6. Bebe mucha agua entre las comidas, pero no durante éstas. Una cantidad adecuada de agua asegura una evacuación rápida de los desechos, una regulación de la temperatura corporal y una buena digestión.
7. Evita que entre demasiado aire mientras comes, esto produce inflamación del estómago.

vamos usando, para que al final nos quede la cocina limpia. Créeme, simplemente es una cuestión de orden y concentración. Hacer de la cocina un arte y algo que nos conecta a nuestro cuerpo, al otro, a los dioses y al camino artístico es una posibilidad diaria de estar en comunión con la vida.

Cocina siempre como un festejo y nunca como una carga u obligación. Si un día estás cansada o cansado, es preferible que comas frutas o yogur antes que cocinar con mala energía. Si lo tomas como algo divertido, y lo haces con vino y música, pasará a ser una terapia antiestrés y un vehículo de distracción y sanación.

Un acto espiritual

En la vida de una persona está intrínsecamente adherida la necesidad de gloria. Los antiguos sabios de Grecia, los guerreros de Esparta, Atenas, Troya; los fieles de Dionisio; los seguidores de Shiva; los descendientes de mayas y aztecas; los practicantes de las enseñanza de Jesús; los meditadores de Buda; los gnosticos o esenios; los rituales druidas... tienen un común denominador: la gloria que está detrás de todo ritual.

La mayoría de los caminos espirituales brindan a través del alimento o incluso de la ausencia del mismo, una posibilidad de agradar a los dioses. El antiguo sacrificio de un alimento (del latín: sacro/sagrado; oficio/acto) o animal era ya de por sí un acto sagrado.

De hecho, en la película *Alejandro Magno*, de Oliver Stone, se ofrece un toro en sacrificio a los dioses antes de la batalla. ¿Incultos? ¿Bárbaros? ¿Incivilizados? Nada de eso. Si comparas las culturas antiguas con las actuales veréis claramente que antes se vivía para el arte y la gloria (aunque había muchas guerras) y ahora se vive casi exclusivamente para tener y aparentar (aunque también hay guerras, pero no por la gloria sino por el petróleo, el territorio o las ideologías).

Si viviésemos celebrativamente y festejáramos cada día como una oportunidad de compartir la comida, como un simple acto espiritual (además de la meditación, yoga, o buenas acciones) viviríamos en armonía plena con la conciencia de que los dioses están en todos lados y en nuestro interior.

Si consumes carne recuerda que a esas reses nadie las ofrece en acto sagrado, sino que simplemente se tensionan en el viaje, se golpean por falta de espacio, acumulan adrenalina y finalmente mueren.

No quisiera quitarte al apetito hablándote del sufrimiento de los pollos, pero; ¿no sería mejor dar gracias a la tierra por el alimento recibido? Si encima luego no masticas bien el alimento, la tensión del animal, las hormonas y el estrés van a parar directamente a tu sistema, alterando sobre todo el nervioso.

De todas formas, y puesto que ninguna energía se pierde, sino que se transforma, ¿qué os propongo? Como lo expresa Khalil Gibrán:

«Ojalá pudiérais vivir del perfume de la tierra, y como una planta sustentaros de la luz. Pero, ya que debéis matar para comer, y robar al recién nacido la leche de su madre para aplacar vuestra sed, haced de ello un acto de devoción. Y que vuestra mesa sea un altar sobre el que sean sacrificados los puros y los inocentes del bosque y de la llanura por aquello que de más puro e inocente hay en el hombre.
Cuando matéis un animal, decidle en vuestro corazón:
'Por el mismo poder que te inmola, yo también seré inmolado y también yo seré devorado.
Ya que la ley que te ha entregado a mis manos me entregará a manos más poderosas.
Tu sangre y mi sangre no son más que la savia que alimenta al árbol del cielo'.
Y cuando mordáis una manzana, decidle en vuestro corazón:
'Tus semillas vivirán en mi cuerpo, y tus brotes del mañana florecerán en mi corazón, y tu perfume será mi aliento, y juntos nos regocijaremos estación tras estación'».

Ahora vamos a conocer las particularidades de los dioses para saber qué representaban, sus características y cómo puede beneficiar nuestra vida invocar sus poderes. Haremos un recorrido por los dioses griegos, los hindúes, los orientales, los mayas y aztecas y, cómo no, por las recetas de Jesús.

Nos vamos de viaje... de las manos al paladar, del paladar al estómago, del estómago al corazón y del corazón hacia el espíritu divino.

2. Los dioses griegos

Los dioses griegos, de figuras mortales y pasiones casi humanas, no perdían interés por las peripecias de los hombres, ni vivían remotos como los de otras culturas. En Grecia, los dioses tradicionales eran tremendamente humanos, lo que los volvía más amables, cercanos, divertidos y presentes en todo.

A diferencia del Dios bíblico que creó el mundo desde fuera, los dioses griegos nacieron en el mundo y formaban una familia en la que Zeus, desde su trono en el Olimpo, estableció un orden que quedaría fijado para siempre.

Platón decía que Dios es la medida de todo. Y en torno a los dioses, los humanos construyeron las leyes, la política, los deportes, la gastronomía, el teatro, la arquitectura, la escultura, la pintura, la música, la poesía y literatura, el arte del amor, la danza y la sabiduría.

Los antiguos griegos se organizaron escribiendo las leyes, la democracia, la igualdad de los hombres, para emular las leyes divinas y el orden y la justicia. Los dioses griegos tienen la gloria adherida, propulsan el total florecimiento de cada persona en el arte de la vida y de la muerte.

Con la visión de los dioses diariamente presente, sobre todo en la época de Pericles, se rindió culto a la belleza, la exquisitez, la igualdad, la soberbia sabiduría y el cuidado del cuerpo. Frente a tribus bárbaras y déspotas monarcas orientales, Grecia se convirtió gracias a la visión de los dioses, en la cima del mundo.

El gusto por la libertad en todo sentido (aunque luego condenaron a Sócrates por negar a los dioses) venía del trato cercano con los dioses que los iluminó para cuestionarse aspectos trascendentales como el universo, la existencia y el sentido de la naturaleza. Lo hacían en medio de banquetes donde se hablaba de estos temas, se danzaba en compañía de mujeres y se bebía vino como símbolo de la sangre de la vida.

El amor por la sabiduría (*philos*, 'amor'; *sofía* 'sabiduría': filosofía), la belleza y el arte es un rasgo de los griegos proveniente del espejo que los dioses reflejaban con sus características.

Los dioses griegos y las costumbres de los humanos están grabadas en innumerables situaciones de la vida actual. Con el fin de emular a los dioses se fue creando una auténtica cultura de hombres/dioses que mostraron el esplendor en muchas áreas de la sociedad: Hipócrates (medicina); Pitágoras (matemáticas mágicas); Aristóteles, Platón y Sócrates (filosofía); Homero (literatura), Arquímedes (ciencia) y tantos otros iluminados.

Luego en los deportes, como culto a los dioses, los atletas completamente desnudos, untados con aceite y con el acompañamiento de la música de un oboe, competían por el tan preciado laurel. De ahí viene la frase: «Se ha llevado los laureles», refiriéndose a cuando uno gana algo o tiene éxito.

Los dioses griegos muestran características muy humanas: se enojan y encolerizan, pero también son benévolos, compasivos, inspiradores y justos. Toda la sociedad occidental debe su forma y diseño actual a aquellos hombres que se inspiraron en los dioses griegos para fomentar la presencia divina en las obras diarias de los humanos. Bajo la inspiración de los dioses, crearon tan excelsas construcciones como la Acrópolis, el Partenón, el teatro de Dionisio, el templo de Zeus, el Oráculo de Apolo y otras grandes maravillas. De hecho, Atenas, la capital de Grecia, es una ofrenda a la diosa griega Atenea, quien compitió con Poseidón por ser la patrona de la ciudad.

Poseidón ofreció el mar y Atenea el olivo, del cual nace el aceite de oliva y sus derivados, fruto que le dio la victoria y logró que la ciudad llevara su nombre y se enriqueciera posteriormente por la exportación de tan valioso elixir.

Los dioses griegos marcaron a toda una cultura, hasta que, poco a poco, se fueron diluyendo, sobre todo por el obligatorio y atemorizante avance del Cristianismo como religión oficial.

Existen doce dioses del Olimpo, luego dioses menores y por último héroes. En la mitología griega no se contempla la figura del mal. Los dioses son inmortales pero no eternos, fueron creados con el mundo y están dentro de él, no fuera como el Dios cristiano. Y en realidad, aunque se han hecho innumerables dibujos y esculturas que reflejan la perfección de sus cuerpos, no tienen forma humana; son fuerzas de la naturaleza. .

Estas divinidades, representadas con un aspecto humano ideal, prototipos de belleza física, dominaron el panorama cultural helénico.

La religión griega se basaba en los mitos (*mythos*, 'narración') que pertenecían a la memoria colectiva y habían sido transmitidos de generación en generación. El origen de la mitología griega se remonta a las primeras creencias religiosas de los pueblos de Creta, que consideraban que todos los elementos naturales estaban dotados de espíritus y que ciertos objetos tenían poderes mágicos.

El culto a una poderosa gran diosa madre (matriarcado) dominó las primeras manifestaciones religiosas en Grecia, al igual que ocurrió en muchas civilizaciones primitivas.

Los doce dioses del Olimpo, donde Zeus es el dios de dioses, tienen su influencia en muchas ciudades y su comportamiento es muy humano. Se suman Hera, Hestia, Apolo, Deméter, Artemisa, Ares, Afrodita, Hermes, Atenea, Hefesto, Dionisio y Poseidón.

Los dioses se alimentaban de néctar y ambrosía que manaban de los cuernos de la cabra Amaltea, conocidos como «los cuernos de la abundancia».

La ambrosía era nueve veces más dulce que la miel, los hacía invulnerables y, por tanto, les confería la inmortalidad. El néctar era un licor dulce, rojo y perfumado, que avivaba los sentidos y otorgaba la eterna juventud.

Estos placeres estaban prohibidos a los mortales, excepto a aquellos héroes que, por sus hazañas, recibían el privilegio divino de la inmortalidad.

Los griegos antiguos también derramaban licores en la tierra y elegían el mejor manjar para arrojarlo al fuego como ofrenda a los dioses. Periódicamente, se organizaban festejos en honor a los dioses. Reclinados en lechos, los griegos disfrutaban de comidas exquisitas, servidas en mesas bajas. Basaban su dieta en pescado fresco y carnes sazonadas con especias y cocinada con aceite de oliva.

La dieta de la clase menos adinerada era sobria, lo que explica su buena salud y su preeminencia en el deporte. En Atenas, sólo los ricos comían carne, y muy de vez en cuando. Los campesinos basaban su alimentación en lentejas, habas, cebollas, higos, cereales, guisantes, ajos, coles, quesos, dulces, miel y aceitunas.

Ahora, a través de las siguientes páginas, vamos a viajar por las características de diosas y dioses de distintas culturas. Haz que cada plato que escojas sea un aprendizaje sobre sus particularidades. Puedes leerle a tu amante los atributos del que has escogido. Pon buena música, vino, alegría y... ¡a disfrutar!

Recetas de Afrodita

«Te venero diosa de la belleza, de los afrodisíacos, de la pasión y el amor, con mariscos y comidas afrodisíacas, para que mi piel y mi cuerpo se llenen de romance y encuentros eróticos, para conocer los secretos del amor.»

Simbolismo e historia de Afrodita

Nombre

Afrodita, en la mitología griega, diosa del amor y la belleza, equivalente a la Venus romana. Su nombre y sus epítetos hacen referencia a su nacimiento. Afrodita deriva de *aphros*, 'espuma'. También se la llama Citerea, la de Citera; Cipris, la chipriota o Ana-diomene, la que vino del mar.

Origen

Hay diferentes versiones sobre el nacimiento de la diosa griega Afrodita (los romanos la llaman Venus), diosa del amor y la belleza. En la *Iliada* de Homero aparece como la hija de Zeus y Dione, una de sus consortes; pero en leyendas posteriores se la describe brotando de la espuma del mar y su nombre puede traducirse como «nacida de la espuma». En realidad, es la espuma que forma el esperma de los órganos genitales de Urano, al ser arrojados al mar por su hijo Cronos, que se los había cortado con una hoz mientras dormía. Fue criada por las Horas y las Gracias. El viento Céfiro la conduce a la isla de Kithyra para llevarla por último a las costas de Chipre.

Amantes

Zeus la entregó como esposa a Hefesto para castigar su orgullo. La diosa aceptó, pensando que el dios herrero sería fácil de contentar. En la leyenda homérica, Afrodita es la mujer de Hefesto, el dios del fuego. Sus infidelidades con dioses y hombres son numerosas, pero Hefesto, muy enamorado, siempre la perdonaba. Entre sus amantes figura Ares, dios de la guerra, que en la mitología posterior aparece como su marido. Otro de sus amantes fue Hermes con quien tuvo un hijo, el dios bisexual Hermafrodito, que heredó la belleza de ambos padres. Fue rival de Perséfone, reina del mundo subterráneo, por el amor del hermoso joven griego Adonis.

Mitos y leyendas

Tal vez la leyenda más famosa sobre Afrodita está relacionada con la guerra de Troya. Eris, la diosa de la discordia, la única diosa no invitada a la boda del rey Peleo y de la nereida Tetis, arrojó resentida a la sala del banquete una manzana de oro destinada «a la más hermosa».

Cuando Zeus se negó a elegir entre Hera, Atenea y Afrodita –las tres diosas que aspiraban a la manzana– ellas le pidieron a Paris, príncipe de Troya, que diese su fallo.

Todas intentaron sobornarlo: Hera le ofreció ser un poderoso gobernante; Atenea, que alcanzaría gran fama militar; y Afrodita, que obtendría a la mujer más hermosa del mundo. Paris seleccionó a Afrodita como la más bella, y como recompensa eligió a Helena de Troya, la mujer del rey griego Menelao. El rapto de Helena por Paris condujo a la guerra de Troya.

Un mito contado por Homero nos narra otro gracioso episodio: cuando Hefesto se entera por Helio, «el que todo lo ve», que su mujer le engaña con Ares, decide tenderles una trampa. Para esto confecciona una red mágica de complicado mecanismo y simula un viaje a Lemnos. Durante la noche, cuando Ares yace con Afrodita, Hefesto los atrapa en el lecho con su invisible red metálica. Acto seguido, llama a los dioses del Olimpo y a Zeus para quejarse airadamente.

Las diosas, pudorosas, no quieren contemplar el espectáculo e intentan marcharse, mientras los dioses se muestran divertidos. Apolo le dice riéndose a Hermes que Hefesto, aunque cojo, bien había logrado sorprender a la pareja y poner en aprietos a Ares frente a los demás dioses. Y continúa preguntándole si le gustaría pasar la vergüenza que pasaba Ares.

Hermes, con su natural picardía, le responde que ya quisiera estar en su lugar y enlazar a Afrodita, aunque le encadenaran tres veces juntos. Esto hace estallar en carcajadas a los dioses del Olimpo, dando el hecho por terminado, según cuenta Homero.

Atributos

Afrodita representa también la fecundidad en la naturaleza vegetal y animal. La paloma es su ave. Sus hijos con Ares son Eros, (el latino Cupido), caprichoso arquero de dos dardos: uno para los amores felices y otro para los desgraciados.

También engendra a Deimos (terror), Fobo (miedo) y Harmonía (equilibrio). Con Adonis engendra otro hijo llamado Eneas, al que más

Lugar de Chipre donde, según la leyenda, nació Afrodita (Venus)

tarde salvará y ayudará a escapar con su familia, tras la destrucción de Troya.

Afrodita representa el deseo sexual como una de las fuerzas creadoras del universo, a la que todos los seres vivos, animales, hombres o dioses están sometidos. Es la diosa del amor, la belleza y el deseo sexual.

También es un pesonaje temible, que inspira pasiones monstruosas a los que descuidan su culto o despiertan su antipatía, como es el caso de Fedra o Pasífae. Posee un ceñidor mágico que tiene el poder de enamorar a mortales e inmortales.

Afrodita tiene una tarea divina: hacer el amor. Esta diosa protege el amor y a los enamorados y su principal ocupación consistía en hacer que los dioses se enamoraran de los mortales. Se complacía en tejer y lanzar redes amorosas, especialmente a Zeus, que tantas veces se vio envuelto en distintas aventuras eróticas. Afrodita amaba las rosas y los mirtos, de allí que los amantes regalen rosas, y su carroza estaba tirada por palomas.

Arquetipo

La mujer con un marcado arquetipo Afrodita tiene el amor como máxima motivación de vida. Siente un magnetismo especial por la belleza y la pasión. Es maestra en el arte del amor y la sexualidad. Ama experimentar nuevas sensaciones.

Las mujeres Afrodita buscan generar vida en todo lo que emprenden. Son mujeres perfeccionistas, amantes de la libertad y buscan la comunión psicológica y espiritual. Tienen el deseo de conocer y ser conocidas, y una necesidad de intimidad física y unión, que trasladan también a la relación de mente y corazón.

Todo trabajo creativo lleva el sello de Afrodita, del cual emerge algo nuevo. Es una mujer que atrae a los hombres por su brillo especial y su luz propia. La mujer Afrodita ama la risa y el buen ambiente.

Toda mujer Afrodita siente el enorme disfrute del amor, la belleza, la sensualidad y la sexualidad en pleno y sin ninguna represión. La mayoría de las estrellas de cine como Marilyn Monroe, Madonna o Mónica Bellucci

son arquetipos Afrodita, de allí su magnético encanto. A diferencia de las mujeres con arquetipo Artemisa o Atenea que se centran más en los objetivos y logros, las Afrodita viven el presente, brillan y aman por encima de todas las cosas. En el trabajo, las mujeres Afrodita necesitan variedad ya que no se adaptan a las tareas rutinarias. Tienen que trabajar en algo creativo y vinculado al arte, la música, la escritura, la danza o el teatro.

Oración a Afrodita

«Afrodita, diosa de la belleza y el amor,
que con tus besos abres las puertas
de los misterios,
con tu mirada regalas esmeraldas,
y con un solo movimiento de tus cabellos
me haces entrar en éxtasis.
Te regalo estos alimentos
para encender el amor.»

Cenas afrodisíacas ligeras

Como Afrodita es la diosa del amor y la pasión, iniciaremos con ella este viaje hacia la cocina afrodisíaca a base de mariscos y pescados.

Piel y fuego

Ensalada de langostinos con aguacate y membrillo

1 kg de langostinos
2 aguacates
1 trozo de membrillo rojo
1 trozo de queso fresco blando
1 lechuga
2 limones
1 vaso de vino blanco
1 diente de ajo
sal, pimienta y perejil

1. Saltea los langostinos con un poco de aceite de oliva, sal, ajo picado y perejil. Trocéalos y reserva algunos enteros para decorar.
2. Pela los aguacates y córtalos en dados. Corta también en dados pequeños el membrillo y el queso fresco y mezcla bien con los langostinos troceados.
3. Remueve la mezcla en la parte baja de la ensaladera y coloca encima de ella los langostinos enteros para lucirlos.
3. Esparce hojas de lechuga fresca cortada fina y condimenta con abundante pimienta y limón.

Cálida Afrodita

Mejillones picantes con tomate

1 kg de mejillones
1 taza de aceite de oliva
1 cebolla grande
1 diente de ajo
3 tomates
aceite de oliva
sal, pimienta y pimentón

1. Lava y raspa bien las barbas de los mejillones. Colócalos en una cacerola con muy poca agua y deja que se caliente hasta que los mejillones se abran. Retíralos del fuego, deja enfriar y prepara la salsa.
2. Ralla los tomates y fríelos en una sartén durante unos quince minutos.
3. Aparte, dora la cebolla y el diente de ajo con un poco de aceite. Luego, añade sal, pimienta, pimentón y la salsa de tomate.
4. Una vez sofrito ligeramente, retira del fuego. Vuelca la salsa picante en los mejillones dejando que su jugo penetre bien en los moluscos.

Misterioso deseo

Mejillones al vapor con limón, manzana y pimientos

1 kg de mejillones
1 taza de arroz integral
1 taza de aceite de oliva
1 cebolla
3 pimientos
3 tomates
2 manzanas verdes
2 vasos de vino blanco
sal, pimienta y especias.

1. Lava y raspa bien las barbas de los mejillones. Colócalos en la cacerola con muy poca agua y deja que se caliente hasta que los moluscos se abran. Retíralos del fuego, deja enfriar y prepara el relleno.
2. Lava los pimientos, ábrelos por la mitad y pon a fuego lento en el horno durante 10 minutos. Hierve el arroz integral durante 25 minutos.
3. Fríe una cebolla bien picada a fuego medio con aceite de oliva. Una vez dorada, ralla los tomates y deja sofreír. Añade sal, pimienta y especias al gusto. Retira del fuego.
4. Vuelca la salsa en el arroz, espera que se enfríe un poco y rellena los pimientos. Vuelve a colocarlos en el horno hasta que se doren.
5. Ralla dos manzanas verdes en finas tiras y sumerge en un bol lleno de vino blanco. Distribuye la ralladura de manzanas y el vino sobre los mejillones. Sirve.

La inevitable atracción de los opuestos

Canapés afrodisíacos con berberechos

1 lata de berberechos
4 rebanadas de pan de molde
2 cucharadas de zumo de limón
1/2 cucharadita de pimienta blanca molida
salsa mahonesa

1. Los berberechos son uno de los moluscos más afrodisíacos. Puedes preparar rapidamente estos canapés y resultan un excelente aperitivo para un menú erótico.
2. Escurre los berberechos y machácalos con el zumo de limón y la pimienta. Luego, mézclalos con salsa mahonesa.
3. Retira la corteza del pan de molde y corta las rebanadas en dos mitades triangulares. Unta la mezcla de berberechos y reserva los canapés cubiertos en la nevera durante 1 hora.

Canapés afrodisíacos con berberechos

Parrillada de pescado concebollas caramelizadas en miel

Deleite de los sentidos

Parrillada de pescado con cebollas caramelizadas en miel

1 lubina o lenguado
500 g de gambas
1 merluza
2 calabacines medianos
2 manzanas verdes
14 ciruelas
1 pimiento rojo
1 pimiento verde
1 limón
sal, pimienta, especias y perejil

1. Corta en finos dados diferentes pescados y mariscos como lubina, pescadilla, gambas, lenguado o merluza. Corta también en finos dados los calabacines, las manzanas, las ciruelas y los pimientos rojos y verdes.
2. Mezcla las verduras y frutas con los pescados y condimenta con sal, pimienta, perejil y especias picantes. Rocía con limón.
3. Engarza los trozos variando el contenido en la brocheta.
4. Coloca unas gotas de aceite sobre el asador, barbacoa o plancha casera. Dora bastante de ambos lados y sirve bien caliente.

Manos de miel

Pulpo cocido con tomate y vino

1 pulpo de 1 kg
1 taza de aceite de oliva
2 dientes de ajo
2 tomates pequeños
2 vasos de vino tinto
pimienta y orégano (o pimentón dulce rojo)
1 cucharada pequeña de miel

1. Lava el pulpo y hiérvelo en su propia agua a fuego medio. Cuando el agua desaparezca, añade un poco más si el pulpo no se ha ablandado lo suficiente. Escúrrelo cuando se acabe el hervor y córtalo en trocitos.
2. Añade la pimienta, el ajo picado, el vino, la cucharada de miel y los tomates troceados pequeños. Remueve los ingredientes y únelos al pulpo.

Unión íntima

Pinchos aromáticos de naranja y queso

2 naranjas
150 g de queso brie
1 cucharadita de albahaca
4 cucharadas de aceite de oliva

1. Pela las naranjas e intenta quitar toda la parte blanca de la piel. Córtalas en rodajas de aproximadamente 1 cm y déjalas macerar durante 1 hora en el aceite y la albahaca.
2. Corta el queso brie en tantas porciones como rodajas de naranja y ensártalas con palillos.

Recetas de Apolo

«Te venero dios del sol, las artes, la música y la adivinación con alimentos luminosos y llenos de energía. Tú me guías y proteges con la música del amor.»

Simbolismo e historia de Apolo

Nombre

Apolo es hijo de Zeus y Leto, y hermano de Artemisa. Es representado como un joven alto, de hermoso porte y abundante cabellera.

Origen

Apolo nació en Ortigia, la única isla que acogió a su madre cuando huía de la cólera de Hera, indignada por la infidelidad de Zeus con ella.

Como agradecimiento, Apolo fijó la isla en el centro del mundo conocido y luego le dio el nombre de Delos. Al nacer, Zeus le entregó una lira, el arco y un carro tirado por cisnes. Pertenece a la segunda generación de los dioses del Olimpo. Es considerado la encarnación más perfecta del carácter helénico, por ser el exponente de la mesura, el respeto de la ley y el orden, y la armonía. Apolo le dio esplendor a la isla de Delos desde su nacimiento.

Amantes

Tuvo muchas aventuras amorosas con ninfas y bellas mujeres mortales. En alguna ocasión se enamoró de Dafne, la hija del dios río Peneo. Tuvo varios hijos con distintas mujeres: Orfeo, de Calíope; Asclepio, de Corónide; Lino, de Psá-mate; Aristeo, de Cirenel; Troilo, de Casandra y también la ninfa Cirena y la musa Talía.

Además, amó a Hiacinto (Jacinto) y a Cipariso (Ciprés), que a su muerte y en medio de una profunda tristeza Apolo los transformó, al primero en flor (jacinto) y al segundo en árbol (ciprés).

Mitos y leyendas

Cuando su madre, Leto, quedó embarazada, fue condenada por Hera a no dar a luz en ningún lugar bajo el brillo del sol. En su juventud hizo muchas proezas como la liberación de la ciudad de Delos al matar con una de sus flechas certeras a la serpiente Pitón.

Tras esta azaña se llamó Apolo Pitio, de ahí que los juegos que se celebraban en Delos se llamaran «Juegos píticos». Su sacerdotisa fue nombrada Pítia. La Pítia (o pitonisa) se sentaba en el sagrado trípode, en el oráculo de Apolo, y a través de su boca se trasmitían las profecías.

Se enamoró de Dafne, pero ésta no correspondió a su amor y un día que trataba de seducirla, rogó a su padre que la transformara para salvarse. Y así ocurrió: la ninfa fue transfigurada en laurel, que a raíz de este hecho, fue el árbol ritual dedicado al culto de Apolo.

También se le considera como el padre de Pitágoras. Como dios de la música, la medicina y la poesía preside el coro de las Nueve Musas que viven en el monte Helicón. Su más famoso precepto fue una metafísica recomendación psicológica: *«Hombre, conócete a ti mismo y conocerás al universo y a los dioses».*

Atributos

Apolo es también el dios de la purificación ritual y el protector de la música y de las artes, por lo que aparece representado con la lira como uno de sus atributos esenciales. A la par de sus altas dotes en las artes musicales, el pastoreo y la adivinación, Apolo poseía virtudes de guerrero y gran habilidad en el manejo del arco. Fue honrado en altísimo grado por los humanos; presente en el culto, en las profecías, en las competencias y en los sacrificios. Se constituyó en símbolo religioso que inspiraba las creaciones artísticas.

Los animales que se identifican con Apolo son el lobo, el cisne, el cuervo, y el delfín. Más tarde, los romanos le honraron y construyeron espléndidos templos en su honor.

Arquetipo

El arquetipo de persona Apolo tiene buen temperamento, es serio, fiel y ayuda en el hogar.

Pero no profundiza en las relaciones ya que es emocionalmente distante.

Hablamos de un hombre artista, libre y luminoso. Pero para que un hombre pueda trascender su propio arquetipo de Apolo tendrá que hacerle un sitio en su psique a Dionisio.

Pensar claramente es la consigna de Apolo y el uso del hemisferio izquierdo. Mientras Dionisio, como dios holístico de profundidad y del éxtasis es una experiencia del hemisferio derecho. El hombre Apolo vive desde la razón, desde el hemisferio izquierdo. Se orienta hacia la belleza y el arte, adora la música y es delicado. Se maneja más por el pensamiento que por el sentimiento.

Oración a Apolo

«Apolo, dios del sol y la belleza,
que las melodías y los manjares te lleguen
como humo desde mi corazón al tuyo,
que mediante tu visión luminosa
el camino de mi vida esté lleno
de belleza y dicha.»

Sopa de apio y coliflor

Iluminación repentina

Sopa de apio para despertar el apetito sexual

100 g de apio
1 cebolla
1 taza de consomé de verduras
1 vaso de leche
3 cucharadas de mantequilla
4 cucharadas de harina
sal y pimentón al gusto

1. Pela la cebolla y pícala finamente. Hierve la cebolla y el apio en el consomé a fuego lento.
2. Mientras, derrite la mantequilla en una sartén a fuego medio y añade la harina a cucharadas. Remueve bien y agrega sal y pimentón al gusto.
3. Añade esta mezcla y la leche al consomé. Hierve durante 10 minutos más y remueve de vez en cuando.

Encuentro sensible

Sopa para amantes aromatizada con canela

1/2 kg de calabaza
1 cebolla
1 cucharada de aceite de oliva
1 taza de zumo de manzana
1/4 de l de agua
1 cucharada de leche
una pizca de canela
una pizca de mejorana y sal

1. Pela la cebolla y trocéala finamente. Pela la calabaza y córtala en trozos pequeños. Sofríe en una olla la cebolla y la calabaza.
2. Añade el agua, el zumo de manzana y sal al gusto. Cuando las verduras estén blandas, es el momento de añadir la leche. Pasa la mezcla por la batidora y ponla a hervir de nuevo.
   Antes de servir, espolvorea con la mejorana y la canela.

Pasión rosada

Salmón ahumado y salsa de Apolo

2 cucharadas de nata montada
50 g de salsa de Apolo
4 lonchas de salmón ahumado
1 calabacín
pimienta negra
100 g de berros

1. Mezcla la nata con la salsa Apolo y unta las lonchas de salmón. Lava bien el calabacín y córtalo en rodajas muy finas. Coloca las rodajas sobre el salmón y añade pimienta al gusto.
2. Rodea el salmón con los berros.
3. La salsa de Apolo es una salsa griega que se prepara con huevas de pescado, patata y cebolla cocida, zumo de limón y perejil. Se pasa por la batidora y tienes una salsa que te permite acompañar muchos platos de pescado y que tiene un suave efecto afrodisíaco.

Beso de fuego

Filetes de lenguado al cava

2 filetes de lenguado
1 cucharada de mantequilla
50 g de champiñones
1 cebolla picada
zumo de 1/2 limón
1 copa de cava
1 cucharada de coñac
2 cucharadas de nata líquida
2 yemas de huevo
Un poco de perejil picado
Sal al gusto

1. En primer lugar, derrite la mantequilla en una sartén y añade los champiñones y la cebolla.
2. Pasados 5 minutos, retira los champiñones y resérvalos. Agrega el lenguado, la sal, el zumo de limón y el cava.
3. Cuece tapado y, cuando el pescado esté listo, retíralo.
4. Bate la nata, el coñac y las yemas de huevo e incorpora la mezcla a la salsa. Calienta un par de minutos.
5. Coloca el lenguado en los platos de servir, vierte la salsa y decora con el perejil y los champiñones.

Salmón ahumado y salsa de Apolo

Souvenir de sabor

Tostas de roquefort y ajo

1 taza de leche
100 g de queso roquefort
1 diente de ajo
4 rebanadas de pan de molde tostadas

1. Pon a calentar la leche en un cazo. Cuando rompa a hervir, añade el queso Roquefort y el diente de ajo muy finamente picado.
   Cuece hasta que te quede una mezcla espesa y unta las rebanadas de pan con ella.

Observando desde las cimas

Canapés de queso de cabra y pimientos

200 g de queso de cabra
150 g de pimientos del piquillo
3 cucharadas de aceite de oliva
1 cucharada de perejil picado finamente
tostaditas para canapés

1. Primero, desmenuza el queso de cabra y trocea los pimientos finamente.
   Mezcla el queso, los pimientos, el aceite de oliva y el perejil.
   Reparte esta mezcla sobre las tostaditas.

El artista interior

Postre de Apolo

8 dátiles
100 g de queso de cabra

1. Deshuesa los dátiles y rellénalos con el queso de cabra.
   Si quieres, puedes hornearlos unos minutos a temperatura media.
   La cabra es uno de los animales favoritos de Apolo.

Tostas de roquefort y ajo

Zeus

Recetas de Zeus

«Oh, gran dios de los dioses, te rindo homenaje a través de mis comidas con algunas de tus creaciones: mariscos, vegetales y bebidas llenas de vida.»

Simbolismo e historia de Zeus

Nombre

En la tradición griega, Zeus es el dios del cielo y soberano de los dioses olímpicos. Corresponde al dios romano Júpiter. Se considera el padre de los dioses y de todos los mortales. Protector y soberano tanto de la familia olímpica y de los humanos.

Origen

Zeus preside a los dioses en el monte Olimpo, en Tesalia. Se dice que nació en la cueva Dicte, en Creta. Sus principales templos estaban en Dódona, en el Epiro, y en Olimpia, donde se celebraban los juegos olímpicos en su honor cada cuatro años. Zeus era el hijo menor del titán Cronos (dios del tiempo) y de Rea, y hermano de las divinidades Poseidón, Hades, Hestia, Deméter y Hera.

Amantes

Casado con su hermana Hera, es padre de Ares, dios de la guerra; de Hebe, diosa de la juventud; de Hefesto, dios del fuego; y de Ilitía, diosa del parto.
Al mismo tiempo, se describen las aventuras amorosas de Zeus, sin distinción de sexo (Ganímedes), y los recursos de que se sirve para ocultarlas a su esposa Hera. En la mitología antigua son numerosas sus relaciones con diosas y mujeres mortales, de quienes ha obtenido descendencia.

En leyendas posteriores, en las que se introducen otros valores morales, se pretende mostrar al padre de los dioses a salvo de esta imagen libertina y lasciva. Sus amoríos con mortales se explican a veces por el deseo de los anti-

guos griegos de vanagloriarse de su linaje divino. Tuvo múltiples hijos entre los que se cuentan: Ares, Hefesto, Ilitia y Hebe, con Hera. Pero es padre de una prole interminnable, producto de sus infidelidades hacia Hera y su fidelidad hacia el amor universal. Con Maya tuvo a Hermes; con Sémela a Dionisio; con Leto engendró a Apolo y Artemisa. Con Temis a las Moiras y las Horas y con Mnemosine a las nueve Musas. Con la ninfa Europa tuvo a Minos, Sarpidón y Radamantes.

Su carácter enamoradizo le llevó a unirse tanto con diosas como con mujeres mortales, por lo que muchas grandes familias pretendieron contar entre sus antepasados con algún hijo de Zeus. Por ejemplo, recordemos que Alejandro Magno se declaraba hijo de Zeus. En Zeus se da como en ningún otro dios la mezcla de lo sublime y lo común.

Mitos y leyendas

Cronos solía devorar a sus hijos por miedo a ser destronado por uno de ellos. Al nacer Zeus, Rea envolvió una piedra con pañales para engañar a Cronos y ocultó al dios niño en Creta, donde se alimentó con la leche de la cabra Amaltea y fue criado por unas ninfas. Cuando Zeus llegó a la madurez, obligó a Cronos a vomitar a los otros hijos, que estaban deseosos de vengarse de su padre. Durante la guerra que sobrevino, los titanes lucharon del lado de Cronos, pero Zeus y los demás dioses lograron la victoria y los titanes fueron enviados a los abismos del Tártaro. A partir de ese momento, Zeus gobernó el cielo, y sus hermanos, Poseidón y Hades, recibieron el poder sobre el mar y el submundo, respectivamente. Así, los tres gobernaron juntos la Tierra.

Atributos

Señor del cielo, dios de la lluvia y acumulador de nubes, usa como sello personal el terrible rayo. Su arma principal es la égida, el águila es su ave, y el roble, su árbol.

En la obra del poeta griego Homero, Zeus aparece representado de dos maneras muy diferentes: como dios de la justicia y la clemencia, y como responsable del castigo a la

maldad. En la escultura, se representa a Zeus como una figura barbada y de apariencia regia. La más famosa de todas fue la colosal estatua de marfil y oro del escultor Fidias, que se encontraba en Olimpia.

Desde su olímpico trono, Zeus, padre de dioses y de hombres, es el soberano de las alturas, «el que une a las nubes», lanza el rayo y administra la justicia. Tan sólo contra el Destino no puede combatir.

Arquetipo

El arquetipo Zeus se caracteriza por ser autoritario. Es el modelo del padre. Prefiere trabajar para sí mismo y se preocupa por sus herederos. Es creador de alianzas, empresario y generador de eventos. Es el orden patriarcal por excelencia. También es conquistador, padre, protector, aventurero y, aunque le agrada el linaje de varios hijos, no es un hombre fiel.

En cuanto a la sexualidad, es activo, seductor y tiene el afán de conquista permanente aunque no es profundo en sus relaciones.

Oración a Zeus

«Dios supremo de los dioses. El radiante.
Tú que proyectas el firmamento luminoso,
la naturaleza y el devenir del cosmos
están sometidos a ti.
Zeus, que tus tormentas y tus rayos sean
para mantener la justicia,
así como la armonía, la purificación y el orden;
que los reyes y soberanos reciben de él su poder
y a él deben rendir cuentas.
Que el destino esté en armonía contigo.
Así como los antiguos te veneraban
en Dodone y Olimpia,
yo lo hago a través de los alimentos,
y deseo que un rayo de luz y el águila
de la sabiduría mantengan en mi vida
la claridad y pueda llevar en alto
el cetro de mi destino.»

Gambas con salsa de jengibre

Comidas griegas picantes e intensas

Encuentro erótico

Gambas con salsa de jengibre

4 gambas grandes
2 cebollas
1 trocito de raíz de jengibre
1 cucharada de jerez
1 cucharada de jarabe de ginseng
1 cucharada de salsa de soja
sal y pimienta al gusto

Decía el poeta griego Asclepíades: «Para una comida con una amante , nada mejor que las propiedades afrodisiacas de las gambas».

1. Para elaborar este plato, pon a hervir todos los ingredientes menos las gambas. Cuando lleven 5 minutos hirviendo, pela las gambas e incorpóralas. Salpimenta y cuece 5 minutos más a fuego lento.

Vientos de vida

Gambas a la cerveza

400 g de gambas
1 lata de cerveza
1 diente de ajo
1 hoja de laurel troceada
1 pizca de sal de apio
1 pizca de pimienta negra
2 cucharadas de perejil picado
1 cucharadita de mostaza inglesa en polvo
2 cucharadas de zumo de limón
1/4 de cucharadita de jengibre
1/4 de cucharadita de paprika

1. Pon todos los ingredientes menos las gambas a cocer.
2. Limpia bien las gambas y añádelas sin pelar a la cocción. Hiérvelas exactamente 3 minutos y escúrrelas. Sirve las gambas acompañadas de vino blanco bien frío.

Abundancia de amantes y lujuria

Almejas afrodisíacas

30-40 almejas
mantequilla sin sal

Sencilla y poderosa receta para despertar la líbido de la energía kundalini (energía psico-sexual), pues las propiedades afrodisíacas de las almejas se conocen desde hace miles de años.

1. Las almejas deben estar muy frescas. Para saberlo, confía en tu olfato: tira aquellas cuyo olor no te agrade. Déjalas sumergidas en agua fría durante 20 minutos y luego (con unos guantes de goma para no cortarte) lávalas bien con un cepillo.
2. Cuécelas ahora en agua hirviendo y, cuando se hayan abierto todas, ponlas a escurrir. Sirve las almejas en una fuente y el caldo de la cocción y la mantequilla aparte.
   Para potenciar los efectos afrodisíacos de este manjar, sumerge las almejas en el caldo y luego úntalas con mantequilla.

Compañía constante

Ensalada de mango con langosta

1 mango maduro
400 g de langosta cocida
8 gambas cocidas
100 g de lechuga de hoja de roble
50 g de canónigos
3 cucharadas de aceite de nuez
1 cucharada de vinagre de frambuesa

El mango es una de las frutas más veneradas en la India como alimento afrodisíaco, y combinado con la langosta asegura una noche de pasión.

1. Pela el mango y córtalo en cuadrados de 1 cm de lado.
   Pela la langosta y las gambas, y corta la langosta en rodajas.
2. En los platos de servir, reparte la lechuga y los canónigos bañados con una vinagreta de aceite de nuez y vinagre de frambuesa. Coloca encima el mango, las gambas y la langosta.

Ensalada de mango con langosta

Agua y emociones

Bebida energética de jengibre

1 kg de guindas
1/2 kg de azúcar
2 vasos de coñac
2 cucharadas pequeñas de canela
4 clavos de olor
ralladura de jengibre.

1. Lava las guindas, escúrrelas y ponlas con el azúcar en un recipiente de vidrio herméticamente cerrado. Déjalas macerar durante un mes y a pleno sol.
2. Pasado ese tiempo, abre el recipiente y añade el coñac, la canela, el jengibre y los clavos. Vuelve a cerrar el tarro y dejar macerar la mezcla otros 20 días.
3. Pasa el licor por un escurridor o filtro y ponlo en botellas. ¡Verás cuánta energía sientes con cada sorbo!

Tormentas vespertinas

Alcachofas con verduras

4 alcachofas.
3 zanahorias cortadas en trozos grandes.
4 patatas cortadas en trozos grandes.
3 cebolletas cortadas en trozos grandes.
2 tazas de aceite.
3 cucharadas soperas de eneldo.
3 limones.
1 cucharada sopera de harina.
sal y pimienta.

1. Limpia las alcachofas quitándoles las hojas duras. Corta con un cuchillo los extremos duros y extrae el interior plumoso. Ponlas en agua y la mitad del zumo de limón para que no se vuelvan negras.
2. Sofríe las verduras en el aceite durante unos minutos y añade las alcachofas, la sal y la pimienta.
3. Mezcla la otra mitad del zumo de limón con agua y harina y vierte sobre las alcachofas y el resto de los ingredientes.
4. A continuación, tapa la cacerola, cubre con agua y calienta a fuego lento durante 1 hora, aproximadamente. Se pueden servir calientes o frías.

Lluvia de pasiones

Moussaka de calabacines

Aceite de oliva virgen
3 calabacines cortados en rodajas finas
3 cebollas medianas, finamente picada
1 ajo finamente picado
carne de cordero picada (o anímate con la soja texturizada)
250 g de tomates en conserva
125 g de extracto de tomate
1 cucharada de orégano fresco, picado o seco
1/2 vaso de vino tinto
1/4 vaso de caldo de pollo o verduras (opcional)
1 cucharada de sal (opcional)
pimienta al gusto
patatas peladas, cocidas y en rodajas finas
mantequilla (para untar la fuente)
25 g de queso parmesano para espolvorear.

Para preparar la salsa:

30 g de manteca
1 cucharada de harina de trigo
1 taza de leche
1 yogur sabor natural
sal (opcional) y pimienta molida.

1. Calienta a fuego medio el aceite y fríe las rodajas de calabacín durante 3 minutos y por ambos lados. Retira con la espumadera y escurre sobre el papel absorbente.

2. En la misma sartén, dora la cebolla y el ajo hasta que estén transparentes. Añade la carne o la soja texturizada y deja cocer unos 5 minutos. Incorpora el tomate con su jugo, el extracto de tomate, el orégano, el vino tinto, el caldo y salpimenta. Baja el fuego al mínimo y deja cocer unos 20 minutos o hasta que el líquido se evapore .

3. Enciende el horno a temperatura media/alta y, mientras se calienta, derrite la manteca en una pequeña cacerola. Cuando esté fundida, añade la harina y revuelve, sin retirar del fuego, hasta tener una pasta.

4. Añade la leche y el yogur, y cocina unos minutos hasta tener una crema espesa. Retira, salpimenta y reserva.

1. Cuando la preparación con carne o soja esté lista, unta la fuente con aceite, y distribúyela. Luego, haz una capa con la mitad de los calabacines y después otra con la mitad de la patata.

5. Repite las capas, en el mismo orden, utilizando el resto de las hortalizas. Baña con la salsa, espolvorea con el queso rallado y hornea unos 25 minutos, o hasta que el queso comience a dorarse.

6. Retira, deja reposar unos 3 minutos y sirve caliente.

Recetas de Dioniso

«¡Mi gran amigo! Dios de la celebración, la vida mística, los placeres, el vino y el disfrute sexual, para ti mi tributo a tu forma sublime de vivir la vida, con comidas y bebidas que llenan mi alma de gozo.»

Simbolismo e historia de Dioniso

Nombre

El dios más joven y desenfadado se incorporó al selecto grupo de los Olímpicos en épocas más recientes. Es el dios de la vid y de la hiedra, el delirio, el entusiasmo, el éxtasis, la danza, la tragedia, la alegría y las fiestas. Dioniso es el creador del teatro. Dos veces nacido (de su madre, Sémele, y del muslo de su padre, Zeus) fue criado por el deforme Sileno.

Origen

Su madre Sémele era, según la tradición tebana, hija de Cadmo y Harmonía. Amada por Zeus, tuvo de él a Dionisio. Como los celos son capaces de todo, la diosa Hera, esposa de Zeus, celosa una vez más, sugirió a la infeliz Sémele una idea perversa y desdichada: que se empeñase en ver a su amado Zeus en toda su grandeza, en la plenitud de su gloria, tal como se mostraba en presencia de su esposa cuando le manifestaba su amor.

Y como quiera que Zeus, en un momento de pasión, le había prometido concederle cuanto le pidiese, no tuvo más remedio que mostrarse a la ninfa amante rodeado de su atmósfera de rayos y truenos. Con semejante poder, Sémele ardió viva, muriendo abrasada.

Pero el fruto que llevaba en su seno fue salvado por Zeus, quien lo colocó en su propio muslo. Transcurrido algún tiempo, Dionisio vino al mundo, saliendo del muslo de su padre, perfectamente vivo y formado.

Al nacer fue confiado a Hermes, que posteriormente lo dejó en manos de Atamas, rey de Orchómenos, y de su segunda mujer, Ino, para

que lo criaran. Hermes les aconsejó que lo vistieran siempre de niña, para tratar de engañar a Hera y librarle así de su celosa cólera. Pero la diosa descubrió el engaño y para vengarse de Ino y de Atamas los volvió locos.

Entonces, Zeus llevó a su hijo Dioniso fuera de Grecia, al país llamado Nisa y allí se lo confió a las ninfas. Para impedir que su mujer Hera lo reconociese, lo transformó en un cabritillo. Como recompensa, las ninfas que se encargaron de criarlo se convirtieron después en las siete estrellas de la constelación Hiades.

Amantes

Dioniso encontró en la isla de Naxos a la hermosa Ariadna, la hija de Minos y Pasífae, abandonada allí por Teseo. Ariadna se encontraba durmiendo en la playa, ignorando aún su desgracia, cuando fue vista por Dioniso que, enamorado de ella al momento, la hizo su esposa y le ofreció como regalo de boda una hermosísima corona de oro, obra maestra de Hefestos.

Dioniso obtuvo de su padre Zeus el don de la inmortalidad para Ariadna. Tuvieron un hijo, Estófilo, que fue pastor. Habiendo éste notado que una de sus cabras llegaba al redil más tarde que las demás y siempre alegre y saltando, la siguió sin que lo notase, y la halló comiendo uvas, lo que le inspiró la idea de confeccionar el vino con el zumo de esa fruta.

Estófilo tuvo un hijo, llamado Anio, que fue rey de Delos y gran sacerdote de Apolo. Tuvo tres hijas, a las que Dioniso dio diversos dones. A la primera, llamada Ocno («oinos», vino), la capacidad de transformar en vino cuanto tocase; a la segunda, Esper («sperma», simiente, grano), el poder de transformar en trigo cuanto tocase, y a la tercera, Elaia (el aía, olivo), de convertir todo en aceite.

Mitos y leyendas

A menudo lo acompañaba una hueste de mujeres hermosas, ninfas y héroes; también incluía a sátiros y centauros. Los sátiros eran criaturas con piernas de cabra y la parte superior del cuerpo humana. Los centauros tenían la cabeza y el torso de hombre y el resto del cuerpo de caballo. Las hermosas y encantadoras ninfas frecuentaban bosques y selvas.

Una de las leyendas de este dios, alegre y celebrativo, cuenta que cierto día encontró una delicada planta que le cayó en gracia. Era delicada y apenas había crecido, pues sólo tenía unos pujantes brotes verdes. Allí no se adivinaban aún ni pámpanos ni racimos.

Al ver que la planta era pequeña y frágil, Dioniso quiso protegerla y la metió en un hueso de pájaro. Y el débil tallo, abrigado y satisfecho, no tardó en crecer de tal modo que el dios, viendo que el lecho que le había deparado era insuficiente, la metió en otro mayor, un hueso de león. Sin embargo, como Dioniso vio que su protegida seguía prosperando visiblemente, acabó por acondicionarla en un fémur de

asno. Y allí fue donde la planta, ya adulta, dio fruto: la uva.

Entonces, Dioniso, vivamente interesado por su inesperado hallazgo, no tardó en descubrir el modo de transformar aquellas uvas en vino. Lo asombroso era que aquel maravilloso licor nació con las cualidades de los seres a los que había correspondido criar la planta: alegría, fuerza y estupidez.

A partir de entonces todo el que bebe en exceso adquiere las dos primeras cualidades: disfruta momentaneamente de una alegría de pájaro y una audacia y fuerza de león. Pero al que abusa constantemente, le aguardan la debilidad y el embrutecimiento. O sea, un asno de dos patas.

Los romanos adoptaron al Dioniso griego y modificaron su segundo nombre Bakchos (Bachus, en latín) transformándolo en Baco o Bacchus. Poco después, se introdujeron en Roma las «bacanales», pero pronto se hicieron tan escandalosas, que el Senado tuvo que prohibirlas hacia el año 186 a.C.

Atributos

Dioniso, dios del vino y del placer, estaba entre los dioses más populares. Los griegos dedicaban muchos festivales a este dios telúrico, y en algunas regiones llegó a ser tan importante como Zeus. Eran numerosas sus adoradoras y sacerdotisas (*ménades* o *bacantes* y *tiiades*).

Dioniso es el dios que funde naturalezas, yendo más allá de los límites de cada una. Es el iluminador por medio de la trasgresión y el exceso, de los estados alterados de conciencia, del éxtasis y el estado arrebatado. Es un dios bisexual, participa de las dos naturalezas. Es el superador del mundo, el que propicia la trascendencia, el ir más allá siempre.

Es el que posibilita la fusión de animales, humanos y dioses, al disolver sus diferencias y fusionarlas. Y esa unidad es la característica de toda edad de oro mitológica: borrar las distancias, fusión total. Es el amante y al mismo tiempo hijo de la Luna. Señor de los animales salvajes. Dios de la alegría sin propósito, del delirio, de la sabiduría que funde luz y oscuridad, del frenesí, integrador de contradicciones.

Al orden y significado, Dioniso opone el arrebato del perderse en la irracionalidad y emoción, en el abandono del sentido del ego.

Sus animales preferidos son el toro, la cabra, la pantera, el león, el leopardo, el tigre, el delfín, la serpiente y el asno.

Arquetipo

El hombre Dioniso siempre está cerca de las mujeres. Es un adorador de la vida, la celebración y el frenesí. El hombre que siente a Dioniso en su interior siempre tiene aspecto joven por más que pasen los años. Es un hombre que necesita estar rodeado de mujeres porque es un dios vivo, vibrante y sensible. Puede tener arrebatos de locura y pérdida de la razón.

El hombre Dioniso es el eterno adolescente, siempre joven, siempre dispuesto a la alegría. No suele comprometerse con las relaciones ni tampoco quiere regularidad y constancia. Prefiere ir de un lugar a otro atrayendo mujeres y experimentando. Busca el contacto con lo femenino, no sólo porque engendra la vida sino porque la mujer está abierta a lo oculto, a la mística y a lo sobrenatural.

El hombre Dioniso se siente atraído por el arte, el teatro y el cine. En los años setenta del siglo XX, el movimiento hippie caracterizó a los hombres Dioniso: consumo de alucinógenos, ropa festiva, flores, revolución sexual y liberación. Podemos ver en Jim Morrison, Mick Jagger o David Bowie al prototipo de hombre Dioniso.

Tanto el hombre como la mujer que se identifique con Dioniso llevará el sello de lo felino, la superación de las normas establecidas, la mística y el espíritu lleno de fuego. Quien se cae y se levanta, quien surge de un dolor y lo convierte en dicha, quien tiene la visión desde las cimas.

Dioniso vive el presente, trasciende el tiempo y la mente. En el terreno sexual es abierto, busca sentir la mística a través del sexo y se deja llevar, está siempre dispuesto y es de naturaleza sensual.

Oración a Dioniso

«Dionisio, dios de la alegría,
que el vino que produces celebre la vida
en mi sangre,
que la danza que irradias esté en mí cada día,
que el perfume de tu éxtasis llegue hasta mi
alma, y que el placer del amor y la mística
estén siempre en mi piel.
Te doy mi devoción y amor
para beber el néctar de la vida.»

Orgía de afrodisíacos en la paella

Cócteles, postres y otras recetas dionisíacas

Comunión mística

Orgía de afrodisíacos en la paella

Esta paella es una auténtica orgía de alimentos afrodisíacos, pues incluye algunos de los productos que más despiertan la libido (apio, azafrán, paprika, almejas y mejillones). Así que si tu pareja y tú os atrevéis con ella, tenéis garantizada una noche de pasión sin límites.

- 50 g de apio picado
- 1 pimiento verde picado
- 100 g de pimientos rojos en conserva picados
- 3 dientes de ajo picados
- 1 cucharada de perejil picado
- 1 cucharadita de azafrán
- 4 cucharadas de aceite de oliva
- 3 cucharadas de vino blanco
- una pizca de paprika
- 200 g de arroz
- 100 g de aceitunas verdes deshuesadas
- sal y pimienta al gusto
- 300 g de gambas peladas
- 1 docena de almejas
- 1 docena de mejillones
- 150 g de pechuga de pollo troceada
- 2 colas de langosta cocida y pelada
- 6 corazones de alcachofas troceados
- 4 tomates rojos troceados

1. Empieza con un sofrito de apio, perejil, pimiento verde, paprika y ajo. Añade el pollo y cuando esté dorado apaga el fuego.
2. Aparte, hierve el arroz en 4 tazas de agua durante 20 minutos con el tomate troceado, azafrán, sal y pimienta al gusto.
3. Mientras, en otra cazuela, hierve los mejillones y las almejas y, cuando se hayan abierto, añade el vino, las gambas, la langosta, las alcachofas, las aceitunas y los pimientos rojos.
4. Mezcla el arroz con el sofrito de pollo y el de gambas en una cazuela de barro. Hornea 10 minutos a temperatura media y ya puedes servir.

Uvas dionisíacas

jengibre con 2
del agua y

melocotones y
jarabe de

bar no muy espeso.
no blanco y el zumo de

la pulpa y pásala por el

elocotones y mezcla bien.
como mínimo. Por último,

Sexo al atardecer

Ponche apasionado

1 copa de vino moscatel
2 cucharadas de coñac
1/2 l de leche
1 taza de crema espesa
1 cucharada de azúcar
2 pizcas de nuez moscada

Para que este ponche, que puede despertar vuestras pasiones más sensuales, haga su efecto, es preciso que no lo sirvas muy frío.

1. Mezcla todos los ingredientes menos la nuez moscada y reparte la mezcla en dos copas.
2. Justo antes de servir, añade una pizca de nuez moscada a cada ponche.

Un orgasmo extra y vida en abundancia

Uvas dionisíacas con vino dulce y chocolate

2 racimos de uva blanca o rosada
3/4 de l de vino dulce o moscatel
300 g de chocolate negro fundido
1/2 l de zumo de naranja
1/2 l de agua
una pizca de canela
2 cucharadas de azúcar

1. Pon a hervir el agua, el zumo de naranja, el vino y el azúcar. Añade la canela. Deja que se consuma un poco.
2. Calienta el chocolate hasta que se derrita y quede suave y espeso. Coloca los racimos de uva sobre una fuente sin separar (para chuparse luego los dedos mutuamente).
3. Vuelca el vino con el zumo de naranja sobre las uvas y, finalmente, vierte el chocolate fundido por encima.

Recetas de Artemisa

«Inmaculada diosa de la caza, las cosechas y la luna, tus alimentos incluyen ensaladas, pollos, huevos y postres. Te adoro con el guerrero que hay en mí, cazando con el arco de la sabiduría y la flecha del amor todo aquello que no me deja crecer.»

Simbolismo e historia de Artemisa

Nombre

Es una de las principales diosas griegas, equivalente de la diosa romana Diana.

Origen

Era hija del dios Zeus y Leto, y hermana gemela del dios Apolo (nacieron el mismo día). Era la rectora de los dioses y diosas de la caza y de los animales salvajes, especialmente los osos, Era también la diosa del parto, de la naturaleza y de las cosechas. Como diosa de la luna, se la identificaba a veces con la diosa Selene y con Hécate.

Amantes

Hija de Zeus y Leto, hermana de Apolo. Se mantuvo soltera y virgen perpetuamente.

Mitos y Leyendas

Aunque tradicionalmente amiga y protectora de la juventud, especialmente de las muchachas, Artemisa impidió que los griegos zarparan de Troya durante la guerra mientras no le ofrecieran el sacrificio de una doncella.

Se dice que justo antes del sacrificio rescató a la víctima, Ifigenia. Un día, a los tres años de edad, Zeus la tenía en sus rodillas y le preguntó qué regalo especial quería. Ella le dio una larga lista: virginidad perpetua, muchos nombres, un arco y saetas, la capacidad de dar a luz a otros, una túnica color de azafrán con ribetes rojos que le llegara a las rodillas.

Y también seis ninfas del mar que tuvieran su misma edad y le sirvieran de escolta y veinte ninfas de los ríos para que le cuidaran sus aderezos de caza y sus perros.

Se dice que también era una diosa vengativa. Protegía a los cazadores y a los hombres puros e inocentes. Esta diosa se veneraba en zonas montañosas y boscosas. Fue la diosa protectora de las Amazonas, un legendario pueblo conformado por mujeres guerreras que se gobernaban sin la intervención de los hombres.

A la diosa Artemisa fue consagrado el renombrado Templo en Efeso, considerado una de las siete maravillas arquitectónicas del mundo antiguo. Iba por los ríos y montañas en compañía de las ninfas más bellas.

Atributos

Como su hermano gemelo, Apolo, Artemisa iba armada con arco y flechas, armas con que a menudo castigaba a los mortales que la ofendían. En otras leyendas, es alabada por proporcionar una muerte dulce y plácida a las muchachas jóvenes que mueren durante el parto. Protege a los niños pequeños y ama la caza, especialmente de ciervos.

Arquetipo

La mujer con este arquetipo es independiente, autosuficiente y sabe cuidar de sí misma. La mujer Artemisa siente unidad consigo misma, con la naturaleza y con las demás mujeres. Son mujeres misteriosas como el brillo y penumbras de la luz de la luna. Una Artemisa es una mujer competitiva, tiene perseverancia y voluntad de triunfo. También valor y determinación.

En el ámbito sexual puede tomar el sexo como un deporte sin implicarse demasiado en la intimidad emocional. No piensa demasiado en el matrimonio, debido a su independencia. Es casi lo opuesto de Afrodita para quien el sexo y el amor son tan importantes. No se relacionan con hombres o mujeres dominantes, más bien tiene que verlos como amigos, creadores, estéticos y sensibles.

La mujer Artemisa va en pos de una meta, concentrada en el trabajo, cuidando su cuerpo y su estética, no necesita de hijos o un hogar; no tiene el arquetipo de esposa como Hera o Deméter. Siempre necesita nuevos desafíos y logros. Es una mujer típicamente cazadora.

Oración a Artemisa

«Artemisa, diosa de la caza y las cosechas,
que pueda cosechar lo que mi corazón siembra,
que pueda cazar experiencias luminosas
que pueda sentir que la abundancia nos inunda
donde quiera que esté.»

Huevos con ostras

Recetas griegas para amantes fogosos

Envuelto en tus cabellos

Ensalada griega

3 tomates
1 pepino pequeño
1 cebolla mediana
2 pimientos verdes pequeños
100 g de queso fresco de cabra, ligeramente salado
2 cucharadas soperas de aceite de oliva
24 aceitunas negras
perejil y mejorana
sal

1. Lava los tomates y pártelos a cuartos. Pela y corta el pepino en rodajas. Pela la cebolla y córtala en rodajas finas. Lava los pimientos y córtalos en forma de anillas.
2. Mezcla estos ingredientes y repártelos en cuencos individuales. Rocía la ensalada con aceite y añádele una pizca de sal.
3. Trocea el perejil y la mejorana. Corta el queso a dados.
   Reparte el queso y las aceitunas en los cuencos; espolvorea con el perejil picado y la mejorana, y sirve.

Juego de manos

Huevos con ostras

12 ostras
2 huevos
1 vaso de vino blanco
1 diente de ajo picado
una pizca de tomillo
1 cucharada de cebolla picada
una pizca de sal
2 cucharadas de mantequilla

1. En un cazo, cuece durante 6 minutos a fuego medio el vino, el ajo, el tomillo, la cebolla, 1 cucharada de mantequilla y sal.
2. Desprende la carne de las ostras de sus valvas y añádelas. Hierve durante 2 minutos y retira del fuego.
3. Engrasa con el resto de la mantequilla 2 moldes altos individuales y reparte la mezcla. Añade sobre la mezcla 1 huevo en cada molde y cuece al baño María durante 10 minutos a 180 °C.
   Este poderoso afrodisíaco se sirve tibio y acompañado de un poco de vino blanco bien frío.

Deseo caliente

Empanada griega de calabacines

5 calabacines pequeños
2 hojas de masa de hojaldre
2 requesones de 150 g
sal y pimienta
ralladura de nuez moscada y 25 almendras picadas
1 cebolla picada
2 tomates frescos
1 cucharadita de aceite
1 manojo de perejil
100 g de mantequilla

1. Pon el horno a calentar a 230ºC durante 15 minutos.
2. Corta los calabacines en partes finas y pequeñas, y rehoga junto a la cebolla en un poco de aceite de oliva. Añade los tomates.
3. Extiende 1 hoja de masa de hojaldre en el molde previamente untado de mantequilla, coloca el relleno y luego el requesón. Enmanteca la segunda hoja de hojaldre y tapa la empanada.
4. Esparce un poquito de azúcar morena o blanca sobre la tapa para que adquiera el color dorado y que le dé un gusto dulce a la masa. Cocina unos 20 minutos a 210 ºC.

Abrazo de fuego

Curry de pollo con verduras y jengibre

4 muslitos de pollo
2 cucharadas de aceite de maíz
1 cebolla picada
1 diente de ajo picado
1 cucharadita de jengibre en polvo
1 cucharadita de curry
1 pimiento verde picado y sin semillas
2 cucharadas de agua recién hervida
5 cucharadas de yogur natural
2 cucharadas de aceite de oliva
1 puerro picado
1 cucharadita de sal
2 cucharadas de mantequilla

El curry y el jengibre se encargan de convertir este plato en un auténtico estimulante sexual.

1. Calienta el aceite de maíz en una sartén y dora los muslitos de pollo. Luego, pasa por la batidora eléctrica la cebolla, 1/2 cucharadita de sal, el ajo, el jengibre, el curry, el pimiento verde, el agua y el yogur. Una vez que tengas una crema homogénea, viértela sobre el pollo y cuece durante 30 minutos.
2. Cuando queden 12 minutos, pon en remojo el arroz y sofríelo con el aceite de oliva, el puerro y el resto de la sal.
3. Pasados 15 minutos, retira el arroz del fuego y déjalo reposar cubierto durante 5 minutos. Para servir, mezcla la mantequilla con el arroz y sírvelo en un plato aparte de la carne.

Empanada griega de zucchinis

Celebrando los orgasmos

Baclavás

1 kg de hojas de masa estirada
1 kg de almendras machacadas
400 g de mantequilla de leche
2 cucharadas soperas de canela
clavos enteros

Para el almíbar

1 kg de azúcar
4 vasos de agua
vainilla
zumo de un limón

1. Mezcla las almendras machacadas con la canela. Derrite la mantequilla. Unta la fuente para horno con mantequilla y coloca las hojas de masa, untándolas otra vez. Para empezar, coloca 3 hojas de masa.
2. A continuación, espolvorea cada hoja con almendras y canela y cúbrela con la hoja siguiente. No olvides que todas las hojas deben untarse en mantequilla.
3. Reparte el relleno de modo que queden 4 hojas que se coloquen por encima sin relleno. Unta también la última hoja y corta el baclavás en trozos rombales. Por encima de cada trozo y en el centro introduce un clavo. Asa el baclavás a fuego mediano durante 60 minutos.
4. Prepara el almíbar disolviendo el azúcar en el agua y el zumo del limón. Deja cocer a fuego medio con la vainilla hasta que tome consistencia de jarabe, sin espesarlo demasiado.
5. Una vez frío el baclavás, espárcelo con el almíbar.

Baclavás

Pollo con almendras

El juego de los amantes

Pollo con almendras

2 pechugas de pollo
100 g de arroz de grano largo
25 g de almendras peladas
25 g de pistachos
2 cucharadas de aceite
1 cebolla
1/2 cucharadita de azafrán
1 taza de caldo de pollo
2 cucharadas de azúcar
ralladura de 1 naranja
3 cucharadas de agua
sal

1. Fríe el pollo en el aceite y añade el azafrán y el caldo. Cuece a fuego lento durante 20 minutos. Aparte, cuece el arroz en agua salada otros 20 minutos. Mientras, fríe las almendras y los pistachos, y reserva. Haz lo mismo con la cebolla picada.
2. Ahora, prepara un caramelo con el azúcar, la ralladura de naranja y el agua.
3. Por último, escurre el arroz y repártelo en los platos de servir. Coloca encima el pollo, la cebolla y los frutos secos, y vierte el caramelo.

Para acompañar

Tsatsiki

450 g de yogur natural
1/2 pepino
3 dientes de ajo machacados
2 cucharadas de menta picada
2 cucharadas de aceite de oliva
1 cucharada de vinagre y sal

1. Vierte el yogur en un envase mediano. Pela el pepino y rállalo, procurando evitar el exceso de agua. Agrega el pepino al yogur. Añade a esta mezcla el ajo, la menta picada, el aceite, el vinagre y la sal.
2. Cubre y refrigera hasta el momento de servir. Adorna con hojas de menta.

Plenitud de alma

Huevos rellenos de caviar

2 yemas de huevo
100 g de caviar
1/2 limón
1 cucharadita de sal
2 cucharadas de mahonesa
2 cucharadas de yogur natural
1 cucharadita de salsa inglesa

1. Un viejo truco para evitar que la cáscara de los huevos se rompa al cocerlos consiste en frotarla con la mitad de un limón. Así, el calcio se disuelve y, en caso de fisuras, la cáscara se solidifica enseguida.
2. Ahora, hierve los huevos con sal durante 15 minutos. Luego, enfríalos bajo un chorro de agua, quítales la cáscara y córtalos por la mitad en sentido longitudinal.
3. Aparte, mezcla la mahonesa con el yogur, las yemas, el caviar y la salsa inglesa. Vierte la salsa sobre los huevos en los platos de servir.

Recetas de Poseidón

«Tú que subes, bajas y fluyes, dios del mar, los ríos y el agua, te honro con tus pescados y mariscos para que el barco de mi destino navegue hacia la luz.»

Simbolismo e historia de Poseidón

Nombre

Es el dios del mar y del agua. Los romanos lo llamaron Neptuno. Su nombre significa «esposo de Da» (posis das) uno de los nombres de la Tierra.

Origen

Poseidón, en la mitología griega, es hijo del titán Cronos y Rea, hermano de Zeus y Hades.

Amantes

Poseidón era marido de Anfitrite, una de las nereidas, con quien tuvo un hijo, Tritón. Sin embargo, tuvo otros amores, especialmente con ninfas de los manantiales y las fuentes, y fue padre de varios hijos famosos por su salvajismo y crueldad, entre ellos el gigante Orión y el cíclope Polifemo. Poseidón y la gorgona Medusa fueron los padres de Pegaso, el famoso caballo alado.

Sobre los amores de Poseidón hay varias versiones. Una de ellas refiere que, enamorado locamente de Anfitrite, una de las Nereidas, la raptó un día que ésta jugaba con sus hermanas cerca de la isla de Naxos.

Otra cuenta que la hermosa joven, que se sabía amada por el dios de las aguas, le rehuía siempre por simple pudor. De tal modo que, en cierta ocasión, fue a esconderse más allá de las Columnas de Hércules, es decir, al otro lado del mar.

No conforme con esto, el enamorado Poseidón mandó a los delfines en su busca y uno de ellos, que la encontró, la persuadió y la trajo consigo para ser esposa del dios del tridente.

Las Nereidas, divinidades marinas, personificación de las olas del mar, eran hijas de Nereus y de Doris, una de las hijas de Océano, Poseidón, por tanto, era a la vez esposo y abuelo de Amfitrite. Desde luego, pocos dioses tuvieron tantas amantes como Poseidón, y una progenie tan cumplida. Se dice que la primera de ellas fue Halia, la hermana de los Telchines, especie de demonios de Rodas, que, al parecer, le había criado. Enamorado de ella, la hizo madre de seis hijos varones y de una hembra que se llamó Rodos. Luego se llamó Rodas a la Tierra o cuna de tan fecundos amores.

Mitos y leyendas

Poseidón desempeña un papel importante en numerosos mitos y leyendas griegos. Disputó sin éxito con Atenea, diosa de la sabiduría, por el control de Atenas. Cuando Apolo, dios del sol, y él decidieron ayudar a Laomedonte, rey de Troya, a construir la muralla de la ciudad, éste se negó a pagarles el salario convenido.

La venganza de Poseidón contra Troya no tuvo límites. Envió un terrible monstruo marino a que devastara la tierra y, durante la guerra de Troya, se puso del lado de los griegos. Poseidón habitaba en el fondo del mar, en su hermoso palacio de Aigai.

Iba siempre armado de un tridente, que era su arma favorita y la que utilizaba para todo: para levantar las olas del mar, para hacer brotar fuentes y manantiales, aparecer pozos y lagos, y provocar terremotos.

Sus vastos dominios los recorría en un carro arrastrado por impetuosos corceles, imagen de las olas espumosas que se empujan, obligadas por el viento.

Por esto, el animal que se consagró preferentemente a Poseidón fue el caballo.

Atributos

El arte representa a Poseidón como una figura barbada y majestuosa que sostiene un tridente y que, a menudo, aparece acompañado por un delfín, o bien montado en un carro tirado por briosos seres marinos. En su honor, cada dos años se celebraban los Juegos Ístmicos de Corinto, en los que había carreras de caballos y de carros.

Los romanos identificaban a Poseidón con su dios del mar, Neptuno. Dios del agua, especialmente del mar, pero también de ríos, arroyos, lagos, manantiales y fuentes. Era uno de los grandes dioses del Olimpo.

Según Platón, cuando los dioses se distribuyeron la Tierra, Atlantis (la Atlántida) le correspondió a Poseidón. En esta isla, situada delante de las Columnas de Hércules, según se salía del Mediterráneo para entrar en el Atlántico, vivía una joven huérfana, llamada Klito, de la que se enamoró Poseidón. Con ella, que habitaba en la montaña central de la isla, vivió mucho tiempo, haciéndola cinco veces madre de dos gemelos. Poseidón llamó Atlas (la superioridad) al mayor. Los animales de Poseidón son el toro y los caballos.

Arquetipo

El hombre arquetipo de Poseidón es de mal carácter, violento y vengativo. Aunque también puede ser un mar en calma y serenidad si consigue dominar su naturaleza. Conoce el mundo psicológico y lo oculto con gran profundidad. Tiene acceso a emociones profundas. Puede encontrarse con «monstruos» emocionales que están en lo más hondo de su interior. El hombre Poseidón tiene encarnado al poeta, el dramaturgo, el novelista y compositor. Es un hombre poderoso y busca llevar el control. En el terreno sexual es potente y capaz de engendrar pasiones, por ello se lo representa con el toro y el caballo semental. Tiene actitud patriarcal y de dominio. Poseidón usa la mente para entrar en los submundos del inconsciente.

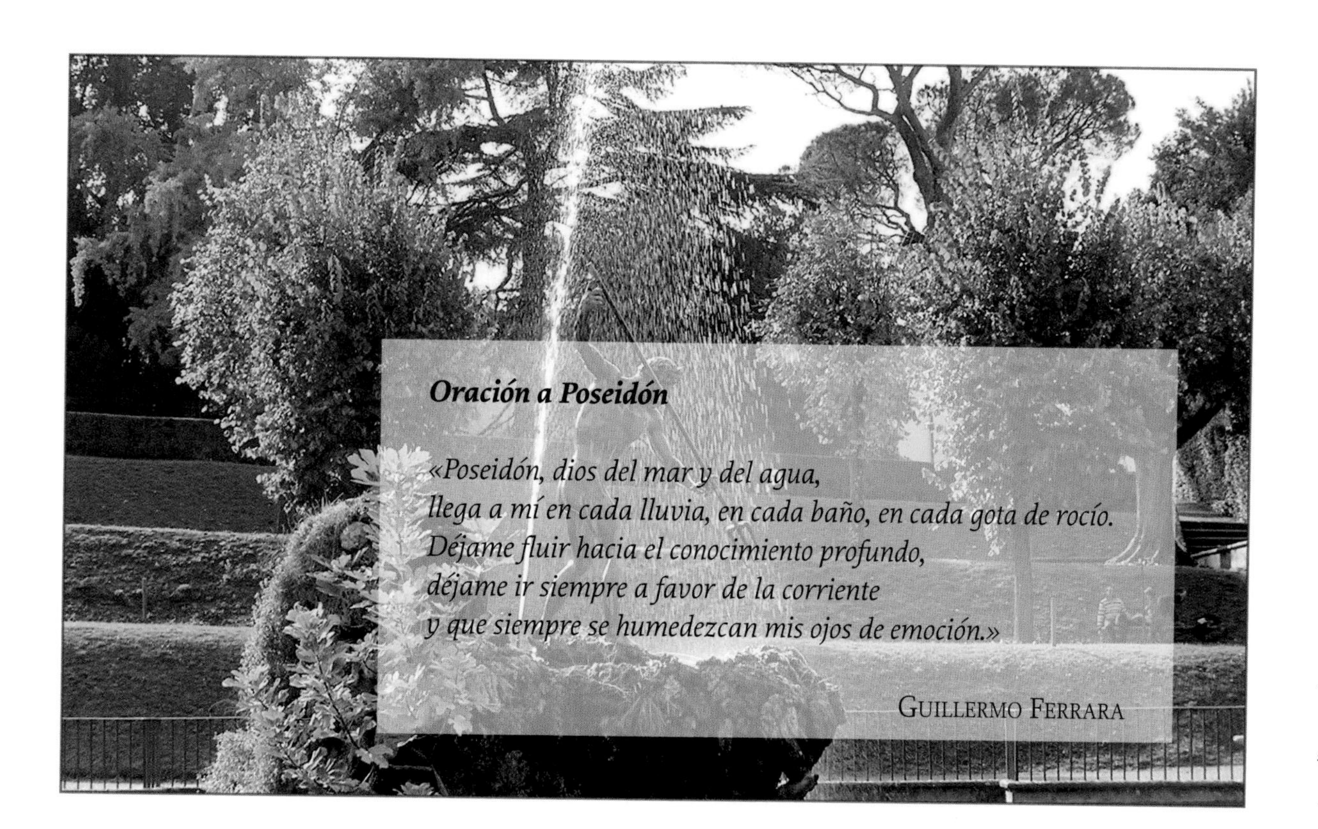

Oración a Poseidón

«Poseidón, dios del mar y del agua,
llega a mí en cada lluvia, en cada baño, en cada gota de rocío.
Déjame fluir hacia el conocimiento profundo,
déjame ir siempre a favor de la corriente
y que siempre se humedezcan mis ojos de emoción.»

GUILLERMO FERRARA

Langostinos para el apetito erótico

Recetas de pescado en honor a Poseidón

Baño de verano

Langostinos para el apetito erótico

2 cucharadas de aceite de oliva
300 g de langostinos cocidos y pelados
1 diente de ajo picado
una pizca de paprika
4 cucharadas de mahonesa
2 cucharadas de salsa de tomate
1/2 cucharadita de zumo de limón
1 cucharadita de aceitunas verdes picadas
1 cucharada de perejil picado
1 huevo duro picado
sal y pimienta al gusto

1. En un bol, mezcla el aceite de oliva, el diente de ajo picado y la paprika. Unta los langostinos con la mezcla y resérvalos 1 hora y media.
2. Luego, prepara la salsa. Para ello, bate con la batidora de varillas la mahonesa, la salsa de tomate, el zumo de limón, las aceitunas picadas, el perejil y el huevo duro.
3. Cuando tengas una salsa homogénea, baña con ella los langostinos y a disfrutar.

Chispas inesperadas

Bocaditos de apio y langosta

200 g de carne de langosta cocida
tallos de apio
1 cucharadita de eneldo
100 g de queso cremoso
1 cucharadita de tabasco
2 cucharadas de mahonesa
2 cucharadas de zumo de limón
sal y pimienta al gusto

Tras hacer el amor, y si tenéis ganas de repetir, estos bocados de apio y langosta os proporcionarán el vigor necesario.

1. Pasa por la batidora eléctrica todos los ingredientes menos el apio hasta que tengas una pasta homogénea. Rellena los tallos de apio con la pasta y reserva en la nevera 1/2 hora.
2. Acompaña la langosta cocida con esta deliciosa crema y ¡recupera la energía!

Un mar de pasiones

Mejillones lujuriosos

20-30 mejillones
3 dientes de ajo
1 cucharadita de anís
1/2 cucharadita de orégano
1 cucharada de perejil picado
una pizca de guindilla picada
3 tomates rojos pelados y troceados
1 vaso de vino blanco
sal y pimienta al gusto
una pizca de albahaca

1. Limpia bien los mejillones bajo un chorro de agua fría con un cepillo. No olvides ponerte unos guantes de goma para evitar cortes.
2. Pica los dientes de ajo y hierve todos los ingredientes durante 30 minutos, menos los mejillones, el vino y el perejil. Pasado ese tiempo, comprueba el punto de sal y pimienta y añade el vino y el perejil.
3. Aparte, hierve los mejillones bien cubiertos de agua. Escúrrelos y vierte sobre ellos la salsa que has preparado.

Descubriendo la perla de cada concha

Brochetas de lenguado con langostinos al azafrán

4 filetes de lenguado
8 colas de langostino peladas
5 hebras de azafrán
1 cucharadita de sal
1/2 cucharadita de eneldo
2 cucharadas de harina de trigo
4 cucharadas de aceite de oliva
3 cucharadas de mantequilla
2 dl de caldo de pescado
1 cucharada de harina de maíz

1. Coloca los filetes de lenguado sobre la encimera y sazona con la sal y el eneldo. Entonces, reparte sobre los filetes las colas de langostino y enrolla los filetes sobre ellas. Ensártalos con palillos y rebózalos en la harina de trigo.
2. Calienta la mantequilla con el aceite y fríe las brochetas durante 5 minutos. Aparte, machaca las hebras de azafrán.
3. Ahora, quítales los palillos y cuece 10 minutos con el caldo de pescado, el resto de la sal y el azafrán.

Brochetas de lenguado con langostinos al azafrán

Danza de la pelvis

Boquerones marinados en zumo de frutas

500 g de boquerones limpios
250 g de frutas rojas (cerezas, fresas, frambuesas…)
zumo de 1 limón
1 cucharadita de pimienta negra
1/2 cucharadita de pimienta blanca
una pizca de pimienta de Cayena
2 cucharadas de vinagre de manzana
4 cucharadas de aceite de oliva
una pizca de sal

1. Bate con la batidora de varillas las frutas rojas con el zumo del limón, las pimientas negra y blanca, y el vinagre.
2. Luego, añade los boquerones y deja marinar durante 8 horas con el recipiente cubierto con papel transparente.
3. Por último, retira los boquerones, pásalos a los platos de servir y añádeles sal y aceite.

Miradas y rosas

Filetes de lenguado al cava

2 filetes de lenguado
1 cucharada de mantequilla
50 g de champiñones
1 cebolla picada
zumo de 1/2 limón
1 copa de cava
1 cucharada de coñac
2 cucharadas de nata líquida
2 yemas de huevo
un poco de perejil picado
sal al gusto

1. En primer lugar, derrite la mantequilla en una sartén y añade los champiñones y la cebolla. Pasados 5 minutos, retira los champiñones y resérvalos.
2. Incorpora el lenguado, la sal, el zumo de limón y el cava. Cuece tapado y, cuando el pescado esté listo, retíralo.
3. Bate la nata, el coñac y las yemas de huevo e incorpora la mezcla a la salsa. Calienta un par de minutos.
4. Coloca el lenguado en los platos de servir, vierte la salsa y decora con el perejil y los champiñones.

Suspiros de gozo

Mousse erótica de gambas y habas

175 g de gambas
3 cucharadas de aceite de oliva
1 cucharadita de sal
1 pizca de pimienta de Cayena
1/2 vaso de agua
1 cucharada de hojas de menta frescas
200 g de habas
1 cucharada de gelatina en polvo sin sabor

1. Pela las gambas y reserva las cabezas y las cáscaras. Salpimenta las colas de las gambas y fríelas durante 2 minutos. Resérvalas. En la misma sartén, añade el agua, las hojas de menta, las cabezas y las cáscaras de las gambas. Cuece durante 5 minutos a fuego lento.
2. Ahora, cuela la mezcla de la sartén y pon a cocer de nuevo el jugo. Cuando hierva, añade las habas y cuécelas hasta que queden tiernas.
3. Apaga el fuego y añade rápidamente la gelatina. Remueve y pasa la mezcla por la batidora. En sendos moldes reparte la mezcla y añade las colas de gambas. En 2 horas se habrá formado la mousse y podrás servir este delicioso plato.

Recetas de Atenea

«¡Oh!, diosa de la inteligencia, las artes y la sabiduría que has traído el olivo a Atenas, ciudad de magnos hombres y cuna de Occidente, mi corazón se llena de gozo al venerarte preparando estas comidas con aceite y olivas.»

Simbología e historia de Atenea

Nombre

Atenea es una de las diosas más importantes en la mitología griega. En la mitología latina, llegó a identificarse con la diosa Minerva, también conocida como Palas Atenea. Atenea salió ya adulta de la frente del dios Zeus y fue su hija favorita. Él le confió su escudo, adornado con la horrorosa cabeza de la gorgona Medusa, su 'égida' y el rayo, su arma principal. Diosa virgen, recibía el nombre de Parthenos ('la virgen'). En agradecimiento a que Atenea les había regalado el olivo, el pueblo ateniense levantó templos a la diosa, el más importante era el Partenón, situado en la Acrópolis de Atenas. Otros nombres que recibió fueron: Atene, Atenaia, Atana y Tritogenia.

Origen

Es la diosa Griega de la sabiduría. Guerrera, aunque pacífica. Tutora de los hogares, pero también destructora de los pueblos. Amparo de sabios y artistas. Patrocinadora de los jueces, defensora del derecho y la justicia.

Amantes

De la misma manera que Artemisa, se mantuvo virgen.

Mitos y leyendas

El mito en la versión pelásgica cuenta que nace en Libia, junto al lago Tritonio; la crían y la hacen fuerte tres ninfas que andan vestidas con pieles de cabra. Muy diferente es el mito netamente helénico: su padre fue Palas, un gigante de forma caprina, que después de nacer intentó violarla. La versión más corriente de su nacimiento es que Zeus se enamoró de Metis y la persiguió por todas partes, aunque ella se iba mudando en varias figuras. Al fin pudo aprisionarla y la dejó embarazada. Nació una niña y el oráculo vaticinó que si nacía otro niño sería varón y destronaría a Zeus.

Entonces, cuando Metis hubo concebido, Zeus la adormeció y se la tragó. Pasado el tiempo sintió un fuerte dolor de cabeza, y corrió al borde del lago Tritonio. Allí, los dioses le rompieron el cráneo y Atenea brotó de entre las heridas.

Atributos

La diosa Atenea es la inteligencia, y por eso se la hace nacer de la cabeza de Zeus. Es la diosa consejera y protectora de la ciudad y de las instituciones políticas. Introdujo en el Ática el olivo como símbolo de la civilización, y es también la patrona de los hábiles artesanos. Su ciudad es Atenas y su templo el Partenón.

En sus inicios se disputó la ciudad con Poseidón, que ofreció el agua como tributo, mientras que Atenea golpeó la tierra con el pie y de ella salió el olivo, el primero en el mundo: el árbol bendecido y símbolo de la paz desde tiempos remotos.

Los dioses dieron la victoria a Atenea y la ciudad tomó su nombre y quedó bajo su amparo. Diosa de la «guerra *justa*» (o de las «causas perdidas»). Su dúctil carácter cuadra a la perfección con el del astuto Odiseo, ese héroe de múltiples recursos, el artimañero. Diosa de la sabiduría, de la inteligencia y de las artes. La diosa asistió y ayudó a los hombres en sus obras de paz. Enseñó a los alfareros, colaboró con los poetas y adiestró a las mujeres en el arte del hilado.

El olivo, el búho, el gallo y la serpiente estuvieron consagrados a esta diosa, que era especialmente venerada en Atenas, lugar donde se celebraban cada cuatro años las fiestas de las Panateneas.Normalmente, se la representa como a una joven guerrera armada de lanza y escudo y tocada con casco.

Arquetipo

Una mujer que se vea reflejada en el arquetipo de Atenea tendrá la sabiduría e inteligencia como centro de su vida. Son mujeres que conservan su cabeza en orden, organizadas, y vinculadas al pensamiento lógico. Se une al poder masculino sin tener conflictos ni emocionales ni sexuales.

Puede trabajar estrechamente con el género masculino. Pueden dirigir empresas, ser poderosas y ascender en el trabajo. Son mujeres diplomáticas y sensatas. Pueden ser artistas y se vinculan con habilidades manuales, ya que es la diosa del arte.

La mujer Atenea no tiene conflictos mentales. Necesitan como padres a alguien que tenga las características de Zeus en cuanto al éxito y poder. Busca formar pareja con hombres o mujeres que destaquen como un héroe, para sentir admiración. En cuanto a la sexualidad, no son caracterizadas por el *glamour* ni por ser *sexys*. Ven a los hombres y mujeres más como amigos y amantes que como parejas establecidas. Pueden estar largos períodos sin actividad sexual para dedicarse al trabajo. Una mujer Atenea definitivamente se rige más por su cabeza e inteligencia que por su corazón.

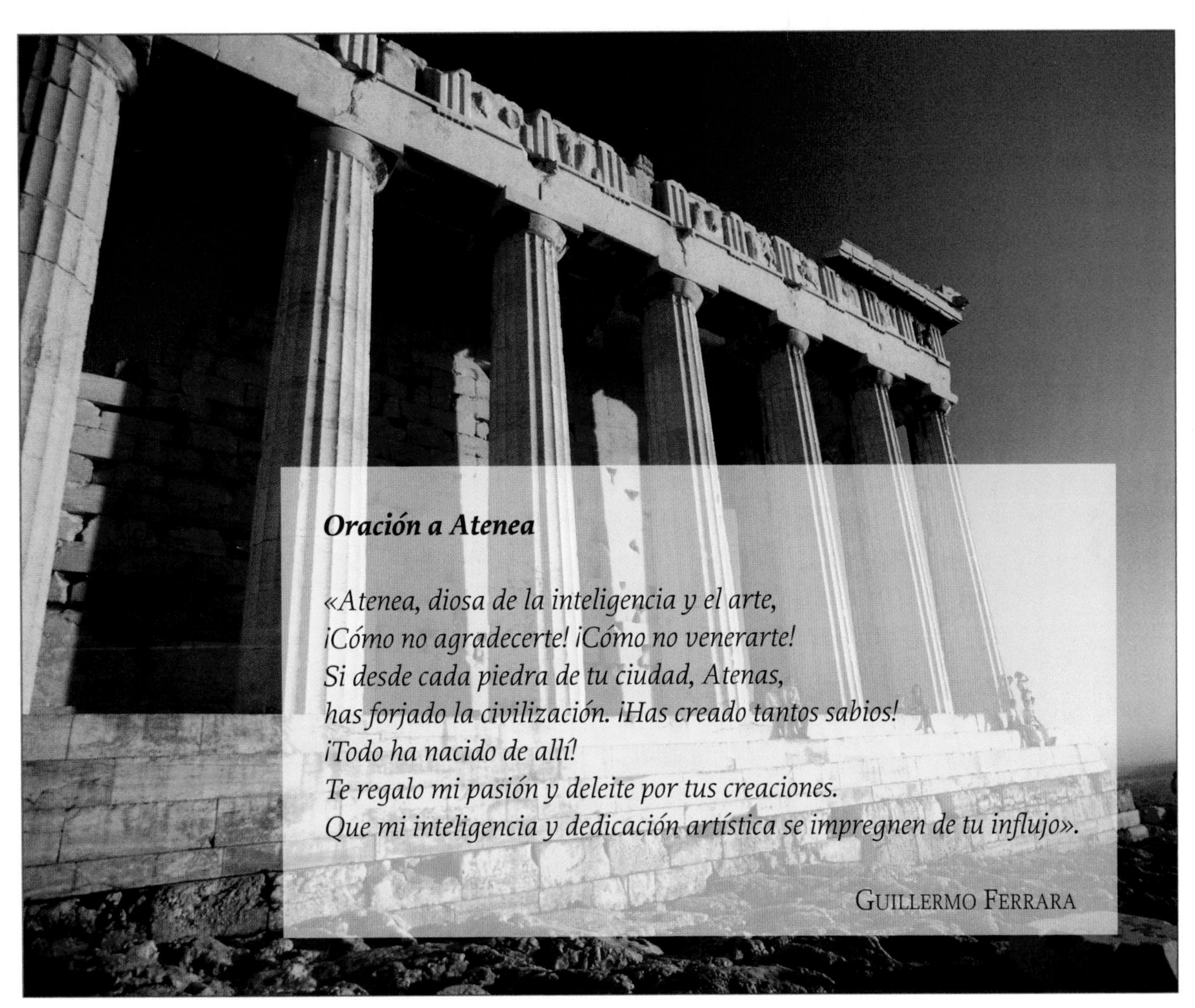

Oración a Atenea

«Atenea, diosa de la inteligencia y el arte,
¡Cómo no agradecerte! ¡Cómo no venerarte!
Si desde cada piedra de tu ciudad, Atenas,
has forjado la civilización. ¡Has creado tantos sabios!
¡Todo ha nacido de allí!
Te regalo mi pasión y deleite por tus creaciones.
Que mi inteligencia y dedicación artística se impregnen de tu influjo».

GUILLERMO FERRARA

Fondue para amantes

Sabiduría activa

Cintas de pasta fresca con olivas y salmón a la menta

1 l de agua
300 g de cintas de pasta fresca al huevo
200 g de salmón fresco
zumo de 1 limón
50 g de olivas negras
3 cucharadas de aceite oliva
1 cucharada de hojas de menta fresca
1 cucharadita de mantequilla
1 cucharadita de sal

1. Pon a cocer el agua con la sal y cuando hierva añade la pasta. Hierve durante 15 minutos y remueve de vez en cuando. Mientras, unta el salmón en el aceite y fríelo 3 minutos por cada lado.
2. Retira el salmón y en la misma sartén incorpora el resto del aceite, el zumo de limón y las hojas de menta. Desmenuza el salmón e incorpóralo a la sartén con la mantequilla. Fríe durante 5 minutos. Sirve la pasta bañada en esta salsa.

A la sombra de tus árboles

Fondue para amantes

500 g de queso gruyere
sal y pimienta al gusto
una pizca de nuez moscada
1 cucharadita de mostaza en polvo
3 cucharadas de kirsch
1/2 diente de ajo
4 cucharadas de vino blanco seco
pan francés cortado a dados de 2 cm

Una fondue de queso es un plato magnífico para despertar la pasión, no sólo por el efecto afrodisíaco del queso, sino también por la complicidad que se crea al comer de la misma fuente. Podéis jugar a mojar el pan y dar de comer al otro para que el ambiente se vaya caldeando.

1. Frota el interior de la olla de fondue con 1/2 diente de ajo. Cuece en ella el vino y, cuando hierva, añade el queso, la nuez moscada, la mostaza, el kirsch, la sal y la pimienta.
2. Cuando el queso esté fundido y tengas una mezcla homogénea, ya puedes llevar la fondue a la mesa... y a mojar pan.

Encendiendo el deseo

Membrillo, olivas y queso con licor de naranja

250 g de membrillo rojo
100 g de olivas negras
250 g de queso blando o queso duro de cabra curado
licor de naranja

1. Corta en lonchas el membrillo y el queso.
2. Pica las olivas bien finas y spárcelas sobre el sandwich. Añade un chorrito de licor de naranja.

Amor y danza

Pollo con aceitunas bañado en coñac y vino

2 pechugas de pollo cortadas en dados de 1 cm
2 cucharadas de mantequilla
100 g de aceitunas negras deshuesadas
50 g de champiñones
2 tomates
2 trufas
1 cucharada de harina
3 cucharadas de coñac
1 vaso de vino tinto
2 cucharadas de aceite de oliva
sal
pimienta

Este pollo con trufas es un estimulante afrodisíaco, la antesala idónea para una noche de sensualidad.

1. Fríe el pollo en el aceite cortado en tiras, los champiñones cortados en láminas, los tomates troceados, las aceitunas y la mantequilla. Salpimenta al gusto y añade la harina.
2. Pasados 10 minutos, agrega el coñac y cuece 10 minutos más a fuego alto. Incorpora el vino y cuece 20 minutos más. Cuando queden 5 minutos, añade las trufas.
Sirve este plato caliente acompañado de vino tinto.

Salto a la gloria de los sabios

Salmón con huevos, aceitunas y berro

100 g de salmón ahumado
4 huevos
1 cucharada de nata líquida
100 g de berros
50 g de mantequilla

1. Engrasa con mantequilla dos cazuelitas de barro.
2. Corta el pescado en tiras y repártelo en las cazuelitas. Reparte también los huevos y la nata.
3. Coloca las cazuelitas en un molde para horno con agua y hornea al baño María hasta que cuajen los huevos.

Juventud eterna en la piel

Queso con olivas, miel y jengibre

250 g de queso brie
250 g de queso fresco
100 g de olivas negras
ralladura de jengibre
miel líquida

Puede comerse de aperitivo y antesala de los demás platos.

1. Corta el queso en pequeños trocitos. Pica las olivas bien pequeñas y espárcelas por encima del queso.
2. Añade la ralladura de jengibre y la miel rociando todo el conjunto. Para terminar, puedes espolvorear con un poco de orégano.

Orgasmos en el paladar

Yogur griego, higos y miel

4 higos maduros
2 vasos de yogur griego
1 cucharada de miel
unas hojitas de menta

1. Lava bien los higos bajo un chorro suave de agua tibia y córtalos por la mitad. Colócalos en los platos de servir.
2. Mezcla el yogur con la miel y vierte sobre los higos. Reserva en la nevera durante dos horas como mínimo y decora con las hojitas de menta antes de servir.

3. Los dioses hindúes

Miles de dioses

En el otro extremo del mundo, durante más de seis mil años, el pueblo de la India ha venerado a muchos dioses y ha tenido una disciplina constante en la búsqueda espiritual y la iluminación del alma. La India cuenta con una rica tradición espiritual, pero tal vez no sea un modelo a seguir, ya que la vida, incluso en su dimensión espiritual, ha de ir de la mano de la prosperidad en general. Allí se considera que la vida espiritual está ligada a la pobreza; dan escasa importancia al mundo material.

Sea como sea, la espiritualidad nos llega de Oriente de forma clara y muy marcada. Tanto el zen como el budismo, el tantra, el yoga o la filosofía oriental nos incitan a buscar respuestas existenciales dentro de nosotros mismos a través de la meditación y el autoconocimiento. A diferencia de los griegos, que tenían un arquetipo de belleza, gloria, sabiduría y lucha, los hindúes ponen el énfasis en la sabiduría y el despertar interior. En general, ambas culturas tratan de que aflore lo mejor del ser humano.

La simbología de los dioses hindúes es muy representativa, colorida y llena de dobles sentidos. Por ejemplo, la diosa Kali, que representa la fuerza de la pasión, la muerte y el renacimiento, la visión real y el desenfado sexual, lleva cuatro manos. ¿Qué significa esto? En una mano lleva la espada de la sabiduría. En la otra sostiene una cabeza humana, símbolo de que con la sabiduría corta la cabeza del ego, el raciocinio intoxicante y todos los virus mentales. Ofrece la tercera mano como protección a sus discípulos y con la última concede los deseos a sus devotos. Las cuatro manos también representan los cuatro puntos cardinales.

A simple vista, lo que vemos siempre tiene un trasfondo simbólico para representar los valores de cada deidad. Por ejemplo, Shiva es representado como un danzarín, ya que se dice que hace danzar el mundo, que el universo está danzando y que los planetas bailan una sinfonía alrededor del sol. Hasta se puede ver un paralelismo claro entre Shiva y Dioniso.

Según la tradición Occidental el Mundo fue hecho en siete días, pero Brahma, el dios Crea-dor de los hindúes, dice que la Creación está gestándose momento a momento con nuevos niños, nuevas flores, nuevos amaneceres y que todo es cambio y renovación. Brahma puede ser el paralelo espejo de Zeus, ya que ambos son los dioses creadores en las dos culturas.

Saraswati, la diosa consorte de Brahma, es la diosa de la sabiduría, la inteligencia, la viajera y culta. De ella proceden las artes, y puede relacionarse con Atenea. Y Vishnú es el dios de la conservación, con su consorte Lakshmi, la diosa de la dulzura, la belleza y la sensibilidad.

A diferencia del cristianismo y otras culturas monoteístas, los hindúes poseen deidades femeninas y masculinas en equilibrio. En la vida, en la creación, no se puede generar movimiento si no aparecen al menos las dos energías bipolares.

Otro detalle notable, fanatismos religiosos aparte, es que el relato sobre esas miríadas de dioses no se da a palos ni a la fuerza o por el miedo, sino por comprensión, devoción y confianza. Recordad que es muy diferente un ser humano con miedo de un ser humano con confianza. La trinidad hindú representa la **creación** (Brahma-Saraswati), la **conservación** (Vish-nú-Lakshmi) y la **destrucción** (Shiva-Kali). Si reflexionamos veremos que esta ley de cambio y evolución se aplica a toda manifestación de vida. Por ejemplo –en el tema de este libro–, se destruye una vieja relación para crear una nueva y conservarla; se marchita una flor para crear una nueva y conservarla; se elimina la ropa vieja para comprar una nueva y conservarla; se derrumba un edificio viejo para crear uno nuevo y más fuerte y conservarlo, y así sucesivamente en todo lo que se te ocurra. Creación, conservación y destrucción es una trinidad de fuerzas que mueven la vida.

Los dioses viven en el cielo más elevado, el *Brahma-Loka*, que se encuentra en la cima de una montaña mítica, el monte Meru. Los hindúes religiosos (indú sin «h» es alguien nacido en India no practicante del hinduísmo) creen en la reencarnación, o transmigración de las almas. Según esta creencia, cuando una persona muere, su alma vuelve a nacer en otro cuerpo. Éste no tiene por qué ser humano: si tiene un *karma* (actos y efectos de las vidas presente y pasadas) negativo, podrá volver en el cuerpo de un animal.

También es común que la nueva vida sirva para reparar los errores de las anteriores. El objetivo de los hindúes es reunirse con Brahma, el Creador. Para ello, deberán poner fin al ciclo kármico, recorriendo diferentes caminos hasta alcanzar la perfección. La reencarnación no se produce únicamente en los mortales: los dioses también se ven sujetos a ella, y de algunos de ellos, como Vishnú, se conocen un enorme número.

En la India hay templos y cultos a muchas divinidades, lo cual no es señal de paganismo, sino de la comprensión que del árbol de la vida brotan frutos distintos. Y de que no puede haber un sólo fruto, ya que la vida es abundancia. Todos somos hijos del creador, lo que nos convierte en co-creadores. Y los dioses trascienden las formas físicas limitadas ya que son fuerzas que se encargan de mantener el equilibrio de la creación. Por ello, siempre en la espiritualidad hay que ver su doble sentido, la enseñanza secreta que está más allá de las formas para que sólo quien es capaz de comprender, lo comprenda.

La India es un país muy ritual y los actos más importantes son aquellos en los que se incluyen ritos de paso (samskaras), como son el nacimiento y cuando el niño come por primera vez comida sólida (arroz).

Entre sus ritos se incluye el primer corte de pelo (para un niño) y la purificación después de la primera menstruación (para una niña). Para venerar a los dioses, los hindúes ofrecen frutas y flores ante un pequeño altar instalado en la vivienda (*puja*).

En la tradición hindú, un alma preexistente sería unida con un feto determinado hasta que la persona muera, luego, sería unida a otro nuevo cuerpo y así por siempre. Los hindúes llaman a este reciclaje interminable «la rueda de la vida, el *samsara*». Las almas que vienen de compuestos cuerpo-alma que han sido «buenos» serían recicladas en compuestos cuerpo-alma destinados a tener mejores condiciones de vida y las que vienen de compuestos que han sido «malos» serían castigadas al renacer en seres de más bajo estatus incluyendo animales.

Una multitud de dioses están implicados en esta visión del universo, pero algunos sofisticados pensadores hindúes buscan reconciliar esa visión tradicional con el monoteísmo al decir que la multitud de dioses hindúes son simples manifestaciones de un Dios único.

Vamos a danzar comenzando a cocinar con Shiva, que nos invita a desayunar con energía y vitalidad. El maestro y creador del tantra yoga es el símbolo de la energía y la sabiduría. Para más información sobre el tantra, puedes ver mis obras: *El arte del Tantra*, *Lecciones de sexo tántrico*, y *Tantra, el sexo sentido* que contiene un DVD, todos ellos publicados por esta misma editorial.

Recetas de Shiva

«¡Oh!, Tú eres mi guía a través del tantra y el yoga, eres el dios que hace danzar el universo, por ello haz danzar mi cuerpo con tus desayunos llenos de energía y proteínas».

Simbolismo e historia de Shiva

Nombre

Shiva es la tercera persona de la Tríada Indú. Recordemos: siendo Brahma el *Creador* y Vishnu el *Conservador* y, puesto que todas las cosas están sujetas a decaer, hacía falta un *Destructor* para completar el sistema. Así que la destrucción es la función esencial de Shiva.

Esto no parece armonizar mucho con la forma mediante la que se le suele representar. Debería recordarse, sin embargo, que según las enseñanzas del Hinduísmo, la muerte no implica muerte en el sentido de pasar a la no-existencia, sino simplemente un cambio a una nueva forma de vida. El que destruye, por tanto, hace que los seres asuman nuevas fases de existencia: el Destructor es realmente un re-Creador. De ahí que le sea dado el nombre de Shiva, el radiante o el dichoso. Shiva tambien es conocido como Nataraja, el bailarín cósmico cuya danza hace girar el cosmos y crea la tierra.

Origen

Según las enseñanzas de las Epopeyas y los Puranas, Shiva juega un papel muy importante, habiéndose escrito varios libros dedicados a cantar sus alabanzas. Es el señor de la noche.

Amantes

La esposa de Shiva es Parvati, hija del monte Himalaya y también conocida con el nombre de la diosa Devi. Paravati de todas formas tiene un lado oscuro cuando se aparece como Durga la terrible.

En ese papel sostiene armas en sus diez manos y monta a lomos de un tigre. Ella es la que ordena sacrificios y lleva una guirnalda de calaveras.

Mitos y leyendas

Shiva y Parvarti tienen dos hijos: Ganesh, con cabeza de elefante, dios de la prosperidad. Ganesh obtuvo su cabeza de elefante por el notorio temperamento de su padre: volviendo de un largo viaje Shiva descubrió a Parvati en su habitación con un joven. Y sin pararse a pensar que su hijo podía haber crecido un poco durante su ausencia, Shiva le cortó la cabeza. Luego fue forzado por Parvati a devolver a su hijo a la vida pero bajo la condición de darle la cabeza del primer ser viviente que naciera y que casualmente fue un elefante. Así, su hijo se convirtió en Ganesha.

El otro hijo de Parvati y Shiva es Kartikkaya. A Shiva se le considera el dios de los yoguis, de los monjes (*sanyasins*) y ascetas.

Se le conoce también como *Yoguésvara* (en sánscrito). Es tradicional que aquellos que desean dedicarse a la vida ascética o monástica (sanyasa) se inicien durante su festividad.

El ***lingam*** es el símbolo abstracto de Shiva. A menudo se recoge una piedra negra que las aguas del Ganges han redondeado en forma de huevo como Lingam. Esta piedra asentada sobre un soporte estable llamado Yoni simboliza el estado puro yóguico o la unión del Atman con Paramatmam o lo Absoluto.

Atributos

Shiva es el dios destructor del universo. Este aspecto también incluye su regeneración. Su consorte es la diosa Parvati. Su apariencia es temible, rodeado de demonios y llevando collares de calaveras. Tiene tres ojos y entre sus armas se encuentra un tridente. Cabalga sobre un toro blanco.

Shiva era el dios de la destrucción,del bosque, de la caza y de la pesca. Según muchas creencias también lo era de la luna y de los Himalayas. Shiva tiene piel azul y los rayos dorados que desprende su tercer ojo simbolizaban la destrucción (no la destrucción completa, más bien una decadencia), la muerte en nombre del renacimiento. Un día, jugando, Parvati le tapó los ojos a su marido. En ese momento, todo el universo oscureció, como si se hiciera el vacío. Cuando Shiva volvió a abrir los ojos, todo regresó a su situación anterior.

Shiva es representado sentado en la cima del monte Kailas, en los Himalayas, donde medita y contempla (por ello es el dios de los yoguis). Tambien se le conocía como Rudra (el que brama), dios de las tormentas. Rudra era el antecedente védico a Shiva, que solía vestir una piel de tigre y como bufanda la piel de una serpiente.

Shiva encarna los aspectos en apariencia contradictorios del dios de los ascetas y del dios fálico, puesto que Shiva también es aquella deidad cuyo símbolo fálico (***lingam***) constituye el santuario central de todos los templos y el santuario personal de todos los propietarios de una casa que son sus seguidores; se le honra como culto a la vida.

Arquetipo

El arquetipo de Shiva muestra a una persona que está asociada a la danza de la vida, conoce la naturaleza y siente su contacto. Un arquetipo de Shiva ama la danza, la celebración y está amigado con la sabiduría. No son personas lánguidas ni faltas de vitalidad, al contrario, su presencia es como un fuego presente.

Shiva es un enamorado del amor, siente que no puede quedarse estancado, sino que va rompiendo moldes y destruyendo cualquier impedimento en su camino. El arquetipo de Shiva es el de una persona con la capacidad de meditar, ver más allá de la mente y del horizonte del pensamiento tradicional. Es un ser libre y que usa su creatividad para superar lo antiguo.

Oración a Shiva

«Shiva, dios de la danza, el yoga y el conocimiento espiritual.
Tú que con tus movimientos haces girar los planetas y galaxias,
tú que danzas con la diosa a tu lado,
tú que destrozas lo que no es luminoso para crecer,
te pido que llenes mi corazón y mi cuerpo con el movimiento de la vida.
Te rindo homenaje con estos alimentos para hacer vibrar mi alma.»

GUILLERMO FERRARA

Desayuno energético

Energía para danzar

Desayuno de Shiva

1/4 de l de leche de soja
250 g de cereales
una pizca de canela
miel
2 melocotones

1. Coloca la leche en un bol. Añade los cereales y mezcla bien. Corta los melocotones en pequeños trozos.
   Una vez mezclados con los cereales, esparce la canela y 1 cucharada de miel.

Encendiendo el motor del entusiasmo

Desayuno energético

1 rebanada pequeña de piña pelada y cortada en trozos
1 plátano troceado
2 tostadas de arroz untadas con queso fresco y miel
1 yogur griego o 1 vaso de kéfir
1 plato pequeño de arroz integral
1 taza de té verde

Este desayuno te dará la energía necesaria para afrontar el día. Come primero la fruta para que vaya directamente al tracto digestivo. Tenemos que tomar conciencia que es la comida más importante del día.
Si quieres que tu cuerpo esté sano y tu mente activa, por favor, olvídate de cenas copiosas y de desayunos pobres con café, bollos y cigarrillos... Eso indica poca dedicación y no es amarse a uno mismo.

Incorpora también el ejercicio y una buena dosis de complementos vitamínicos en pastillas: coenzima Q10 (para los mayores de 40-45 años), gingko biloba, multivitaminas, proteínas y aminoácidos, antioxidantes y aceite de onagra (prímula). Ya son fáciles de encontrar en las buenas tiendas de herbodietética.

1. Preparación: apenas tiene.

Movimiento interior

Ensalada de hinojo para el vigor sexual

2 bulbos de hinojo con hojas
zumo de medio limón
2 cucharadas de aceite
2 yemas de huevo
1 cucharada sopera de nata agria
hojas de lechuga
1 cucharada de azúcar moreno
sal y pimienta al gusto

1. Pon a cocer las yemas de huevo. Mientras se cuecen, limpia los bulbos de hinojo y la lechuga y pícalo todo finamente.
2. Para preparar la salsa, mezcla bien el zumo de limón, el aceite, el azúcar, la sal y la pimienta. Vierte esta salsa sobre las verduras y cubre con un plato. Reserva durante 1 hora y media.
3. Cuando las yemas estén listas, mézclalas con la salsa. Añádela a las verduras y remueve.

Meditando en el corazón

Berenjenas con queso para despertar la sensualidad

1 berenjena grande
150 g de queso parmesano
175 g de queso mozzarella
3 cucharadas de harina
2 cucharadas de aceite de oliva
1 diente de ajo
1 cebolla
1 taza de salsa de tomate
1 taza de agua
2 cucharaditas de pimentón
1 cucharadita de orégano

1. Pela la berenjena y córtala en rodajas no muy finas. Reboza la berenjena en harina y dórala en el aceite de oliva a fuego medio, junto con la cebolla y el ajo bien picados.
2. Mezcla en un bol estos ingredientes con la salsa de tomate, el agua, el pimentón y el orégano. Unta con mantequilla una bandeja de horno y coloca una capa de berenjenas; encima, una capa de la salsa; y, por último, una capa de quesos.
3. Hornea a temperatura media durante 15 minutos.

Berenjenas con queso

Varas de luz

Espárragos afrodisíacos

12 espárragos
2 huevos
2 cucharadas de mantequilla

1. Empieza hirviendo los espárragos durante 15 minutos. Luego, escúrrelos y quita la parte más dura.
2. Hierve también los huevos durante 4 minutos; así la clara te quedará apenas cuajada y la yema estará líquida.
3. Sirve la mitad de los espárragos para cada comensal con la mantequilla en una bandejita o plato al lado. Coloca los huevos en una huevera. La idea es untar los espárragos con la mantequilla y mojarlos en la yema líquida. Así, podéis untar los espárragos en el huevo del otro y hacer juegos eróticos estimulando la boca y el sentido del gusto.

Danza de la pasión

Sopa de Shiva

1 pepino
1/2 l de yogur natural
1 diente de ajo
2 cucharadas de azúcar
1 cucharada de eneldo
1/2 cucharada de menta picada
1 cucharada de aceite de oliva
una pizca de sal
una pizca de pimienta.

1. Pela el pepino y córtalo en rodajas. Mézclalo con el resto de los ingredientes menos con el aceite y pasa la mezcla por la trituradora. Cuando hayas conseguido una mezcla homogénea, reserva en la nevera. Antes de servir, añade el aceite de oliva y remueve bien.

Fusión cósmica

Pastel de verduras para amantes

200 g de espinacas frescas
200 g de zanahorias
200 de bulbo de apio
1 cebolleta
2 huevos
1 vaso grande de nata líquida
1/2 cucharada de granos de pimienta verde
1 cucharada de zumo de limón
sal y pimienta al gusto.

1. Empieza hirviendo las verduras por separado. No pongas mucha agua porque los purés deben quedar bastante espesos. Luego, bate los huevos con un poco de nata, sal y pimienta al gusto y la cebolleta picada.
2. Añade una tercera parte de la mezcla a cada cocción. Pasa por la batidora las cocciones por separado.
3. Pon en un molde una capa de puré de zanahoria; encima pon una de puré de apio; por último, una de puré de espinacas. Cuece al baño María durante 1 hora y media. Recuerda que es aconsejable dejar que el pastel se enfríe un poco antes de sacarlo del molde.
4. Sólo queda preparar la salsa para cubrir el pastel. Cuece la nata que te queda a fuego medio con la pimienta, el zumo de limón y una pizca de sal. Prepárala justo antes de servir el pastel.

Recetas de Kali

«Mi corazón se estremece al tener la oportunidad de venerarte. Te llevo en la piel y en el alma, Kali, diosa del poder, que destruye lo viejo para construir algo nuevo. Me proteges, por eso te amo a través de comidas llenas de fuerza, fuego y picante».

Simbolismo e historia de Kali

Nombre

Kali es eterna como el tiempo, indomable y espantosa en sus cóleras, ella dirige la pasión del conocimiento, la perfección del amor y la temeridad de la sabiduría. Kali es la diosa madre hindú y está asociada con la destrucción. Es la diosa de la muerte. Destruye para mantener el mundo en orden, y en los Vedas se la asocia con Agni.

Su nombre significa «la negra», y de las siete lenguas de Agni, ella es la negra. Posee también múltiples brazos: Kali es la diosa de la muerte y la destrucción, pero también es la diosa de la regeneración. Es la diosa terrible y sanguinaria, pero también la mujer madre que da la nueva vida a costa de su sacrificio.

En su papel en el tantra indio, Kali representa la energía femenina pura, energía kundalini activa que tiene el poder del sexo, la sensualidad y la encarnación del amor desenfrenado y voraz. Kali encarna a la amante sexual, la oscura noche lunar, que destruye las ilusiones y satisface los deseos.

Origen

La naturaleza oscura de Kali y el vínculo con Shiva en el tantra, han conducido a que se convierta en una importante figura tántrica. Para los seguidores del tantra es esencial hacerse uno con su poder, superar el terror de la muerte, y aceptar bendiciones de su hermoso y consolidado aspecto maternal.

Para los tántricos, así como la moneda tiene dos lados, y así como la muerte no puede existir sin la vida, igualmente la vida no puede existir sin la muerte. El papel de Kali nos hace ver con claridad que a lo inevitable no hay que tener miedo sino asumirlo con sabiduría y eso otorga comprensión metafísica.

El Nirvana-Tantra, un texto muy antiguo, presenta claramente su naturaleza incontrolada como la última realidad, considerando que el trimurti ('tres deidades') de los dioses Brahma, Vishnú y Shiva aparecen y desaparecen en ella como burbujas del mar. Suele vérsela junto a flores de loto, pero no es la única flor que se le consagra y ofrenda. Las serpientes y las vacas son sus animales.

Amantes

Kali es la esposa de Shiva en la tradición tántrica. La forma apasionada y salvaje de Kali a menudo llega a ser incomprensible e irrefrenable, y sólo Shiva es capaz de apaciguarla. Shiva tiene sus métodos para serenarla, desde desafiarla al baile salvaje del *tandava* y aventajarla, hasta aparecer como un bebé que llora (apelando así a sus instintos maternales). Sin embargo, las pinturas y dibujos a menudo representan a Kali bailando sobre el cuerpo caído de Shiva, y hay referencias sobre ellos bailando juntos en un estado de éxtasis sexual-espiritual.

Mitos y leyendas

Una leyenda sobre sus orígenes se encuentra en el Matsya Purana, según el cual Kali se originó como diosa tribal de la montaña en la parte norte-central de la India, en la región del monte Kalanjara (ahora conocido como Kalinjar). En los *Puranas* (textos sagrados de India) se le dio a Kali un lugar en el panteón hindú. En el Devi-Mahatmyam (también conocido como Chandi o Durga Sapta Sati) del Markandeya Purana, escrito entre el 300 y el 600 de la era común, se describe también a Kali o Kalika. Allí dice que fue emanada de la frente de la diosa Durga (la inaccesible asesina de demonios) durante una de las batallas entre las fuerzas divinas y demoníacas.

Kali es tan oscura como el carbón y vive en los crematorios. Sus ojos son rojos como la sangre, su pelo es negro, largo y despeinado y se presenta como una mujer hermosa llena de pasión. Suele representarse desnuda, con muchos adornos. Para su veneración no hacen falta templos: el culto se le ofrecerá en las casas bebiendo vino, comiendo carne o pescado y estando desnudos.

Kali tiene unos ojos muy grandes, una lengua amenazadora y atrevida, labios manchados de sangre, pechos grandes, barriga hundida y cuerpo de mujer ardiente de pasión.

En India todavía se celebra en octubre de cada año el *Dasara*, que son diez días de celebración en honor de Kali, con procesiones, danzas e intercambio de dones. Kali debe ser llamada y honrada cuando se necesita la destrucción de algo para dar paso a nuevos ini-

cios. Pero sus trabajos deben ser muy cuidadosos, pues al igual que las demás diosas oscuras es extremadamente poderosa, y el cambio que se le solicite puede ir más allá de lo previsto o deseado. En esos casos se sugiere tan sólo realizar ofrendas en su honor en símbolo de agradecimiento por los cambios que se esperan.

Atributos

La adoración a Kali como la Gran Diosa Madre generalmente es desprovista de su violencia. Ella es así un eco de la fuerza del guerrero de la mujer. Representan a la diosa Kali como mujer de larga cabellera negra con cuatro brazos. Su lengua resalta de su boca emitiendo pasión y vida. Sus ojos son rojos, y su cara y pechos están cubiertos de sangre, que simboliza la vida que hay en ella.

Su desnudez simboliza que está totalmente más allá de nombre y forma, más allá de los efectos ilusorios del maya. Cuando crees algo como verdadero y en realidad es falso e ilusorio (como el estatus, las creencias, los miedos o los virus mentales), Kali corta todas esas ataduras del corazón humano, liberándolo.

Kali es el fuego brillante de la verdad que no se puede ocultar por las ropas de la ignorancia. Está llena de creación incesante. Su guirnalda con 50 cabezas humanas representa el depósito del conocimiento y la sabiduría. Sus dientes blancos son simbólicos de la pureza o *Sattva*. Representa los ritmos creativos y destructivos inherentes del cosmos.

Sus manos derechas hacen los mudras de «miedo no» y de los favores que confieren. Y representan el aspecto creativo de Kali, mientras que las manos de la izquierda, sosteniendo la espada y una cabeza separada, representan su aspecto destructivo.

Se la asocia también con aquella parte humana salvaje y ancestral, que no habla y sólo siente, nuestro aspecto más visceral y emotivo. Cuando Kali es adorada con amor, su aspecto terrible deja de causar miedo. Para sus más sinceros devotos, ella aparece en una forma amorosa y protectora.

El amor de la Madre Kali es tan grande como su furia, su amor es ilimitado y eterno.

Para los curiosos, Kali es terrorífica y destructora, pero para el amante devoto Kali trae la libertad, liberándolo de su negatividad. Kali concede gracias y disuelve el miedo. Ella destruye aquello que mantiene al ser humano separado de su divina fuente.

Kali ataca todo obstáculo interno hacia el *despertar* y la Iluminación, como puedan ser la ignorancia y la falsedad. Se puede decir que Kali es también la diosa que libera.

Arquetipo

Kali disuelve el miedo a la muerte, y recuerda que no se puede lograr la liberación espiritual mientras nos aten las limitaciones humanas. La personalidad Kali es apasionada, fuerte y aventurera. Tiene inclinación por lo místico, es sensual y sexual en extremo, tiene la piel llena de fuego y deseo. Trasciende los condicionantes y axfixiantes límites sociales, siendo guiada por la libertad. Se muestra serena cuando tiene amor y pasión, aunque siempre le bulle por dentro el deseo de vida.

Son personas orgásmicas en todo lo que hacen y dicen. No toleran la hipocresía ni las leyes impuestas a la fuerza. Muestran que están despiertas en todo momento, conscientes y alertas. Un arquetipo Kali tiene el sabor de la vida en su boca. Usa su talento y sus dones para el crecimiento y la expresión. Kali se maneja siempre por instinto y consciencia, en vez de por la mente o el ego.

Oración a Kali

«Kali, diosa de la pasión y la muerte de los miedos
Siento tu protección y tu mano amorosa.
Que viva apasionadamente cada momento de mi destino.
Que llene de gozo mi alma y que corte con la espada de la sabiduría,
todo rastro de ignorancia.
Que tu belleza y sensualidad me llenen de los pies a la cabeza.
Te ofrezco estos alimentos como tributo de amor.»

Guillermo Ferrara

Recetas para elevar la pasión

Poder interior

Pócima energética

1/2 kg de zanahorias
1 tallo de apio
1 lima
1 ramillete de perejil troceado
1 pomelo
una pizca de sal

1. Trocea las zanahorias, el apio y el perejil. Añade una pizca de sal y tritura. Ahora, exprime la lima y el pomelo y añade el zumo a la mezcla anterior. Guárdala en el frigorífico durante 1/2 hora antes de servir.

Deseo, pasión y lujuria

Alcachofas para el ardor sexual

4 alcachofas
2 cucharadas de zumo de limón
2 cucharadas de vinagre de vino
una pizca de mostaza en polvo
4 cucharadas de aceite de oliva
1 diente de ajo
Sal y pimienta al gusto
2 yemas de huevo

Las alcachofas tienen un potente efecto afrodisíaco, así que esta receta despertará vuestro ardor sexual de forma casi inmediata.

1. Quita las hojas más duras de las alcachofas. Abre las hojas y hierve las alcachofas colocadas boca abajo en agua salada. Deja que hiervan tapadas 25 minutos. Luego escúrrelas y resérvalas.
2. Para la salsa, mezcla la sal, la pimienta, la mostaza, el zumo de limón, el ajo picado, el vinagre, el aceite de oliva y las yemas de huevo bien batidas.
   Sirve la salsa en cuencos aparte para que podáis mojar las hojas de alcachofa a vuestro gusto.

Libertad mental

Champiñones rellenos para vencer los prejuicios

350 g de champiñones grandes
3 cucharadas de perejil picado
3 cucharadas de queso parmesano
sal y pimienta al gusto
2 dientes de ajo
2 tomates maduros
3 cucharadas de aceite de oliva
3 cucharadas de agua
1 cucharada de vino tinto
mantequilla

Para disfrutar de un buen sexo hay que vencer los prejuicios morales que nos dicen lo que está bien y lo que está mal y nos apartan de nuestros deseos...

1. Lava los tomates y trocéalos. Ahora, mézclalos con el perejil, el queso, los dientes de ajo picados, el vino, la sal y la pimienta al gusto.
2. Corta los tallos de los champiñones. Rellénalos con la mezcla y unta con mantequilla una bandeja de horno.
3. Vierte el agua y el aceite de oliva sobre los champiñones y hornea a temperatura media durante 15 minutos.

Orgasmo tántrico

Arroz al azafrán

175 g de arroz integral
1/2 cucharadita de azafrán
2 tazas de caldo de pollo
50 g de pimiento verde picado

1. Empieza hirviendo el caldo con el azafrán, que es el ingrediente que le da sabor al plato y proporciona el vigor necesario para disfrutar. Luego, añade el arroz y deja cocer a fuego lento. En unos 20 minutos, el arroz habrá absorbido todo el líquido.
2. Añade el pimiento y hornea a temperatura media 10 minutos.

Postre de Kali

Granadas rojas

2 granadas
1 cucharada de agua de rosas
1/2 l de agua fría
zumo de 1/2 limón
3 cucharadas de miel

Incluso los antiguos egipcios confiaban en este néctar para despertar su energía sexual (líbido o Kundalini).

1. Pela las granadas y quítales las semillas. Pásalas con el resto de los ingredientes por la batidora y reserva en la nevera durante 2 horas antes de servir.

Arroz al azafrán

Recetas de Brahma

«Creador, origen y causa del inicio del universo,
qué sería de nosotros sin tu poder y creación.
Lleno la mesa en conmemoración de cada cosa
creada y que sigues creando para nuestro deleite.»

Simbolismo e historia de Brahma

Nombre

Brahma es considerado como el Ser Supremo, el Dios de dioses; Brahma, Vishnu y Shiva, son sus manifestaciones. Algo para pensar para lectores inquietos: se dice que el pueblo primitivo de Israel se fue con Abraham.

¿Has pensado que si al nombre Abraham le quitas la primera «a» que denota partícula negativa y la colocas al final, en vez de *Abraham* quedaría *Brahama*? Acaso eso podría significar realmente «los que se alejaron del reino de Brahma», el dios original, y se fueron por otros caminos?

Origen

Brahma es considerado por los hindúes (como dicen en sus escrituras) como el Supremo Dios: el origen de todos los demás. En el Atharva-Veda se lee: «Todos los dioses están en Brahma como las vacas en un establo». En el principio, Brahma era este universo, él creó a los dioses.

Habiendo creado a los dioses, los colocó en los mundos. *Agni*, (el fuego) en este mundo, *Vayu* (el aire) en la atmósfera y *Surya* (el sol) en el cielo. Y en los mundos que son más altos colocó a los dioses que son aún más elevados. Entonces, Brahma partió hacia la esfera más alta llamada *Satyaloka* (mundo de la verdad), el más excelente y lejano de todos los mundos.

Representa la fuerza creativa. Es la esencia primitiva, el alma colectiva y la personificación de todo lo que hay en el universo.

Brahma nació de *Hiranyagarba*, el gran huevo dorado creado por él mismo. Brahma es el creador de los elementos y de los demas dio-

ses. Tiene cuatro caras (una quinta fue abrasada por Shiva) y cuatro brazos.

En el Taittiriya Brahmana, un texto antiguo, se dice: «Brahma creó a los dioses» Brahma creó a este mundo entero. Dentro de él están todos estos mundos. Dentro de él está este universo entero. Brahma es el más grande de todos los seres. ¿Quién puede compararse a él? En Brahma están los treinta y tres dioses; en Brahma están Indra y Prajapati; en Brahma están contenidas todas las cosas como en un barco».

Amantes

Brahma está unido con Saraswati, la diosa de la enseñanza y la música, y junto con Vishnú y Shiva forman el Trimurti, la Trinidad Hindú. Se le representa llevando en sus cuatro manos una vasija, una especie de rosario para rezar, un arco y un ejemplar del Rig-Veda.

Mitos y leyendas

En el Rig-Veda Brahma significa el poder del mantra o de la palabra creativa. Como la personificación del Supremo Brahmam, es el primer ser creado y creador del universo: «Nada Brahma, el mundo es sonido» («en el principio fue el Verbo...») La actividad creativa se atribuye a varios dioses en el antiguo periodo védico, pero el dios padre, Prajapati o Brahma, aparece como el creador individual.

En el Manu Smriti o Ley de Manu, Brahma es lo autoexistente que hace surgir el mundo de un huevo –la idea del huevo cósmico–, haciendo que su existencia pueda durar un eón o eternidad.

Atributos

Para estar protegido por Brahma hay que meditar imaginando estar dentro de un huevo dorado. Es rojo y va montado sobre un cisne.

Se dice que en el principio no había noche ni día, ni cielo ni tierra, ni luz ni oscuridad. Sólo era Brahma. Esencia única, siempre puro y exento de defectos. Tenía cuatro formas: *Purusha* (espíritu), *Kala* (tiempo), *Prahdana* o *Prakiti* (materia) y *Vyatka* (sustancia visible).

Fue en una época remota en que Brahma despertó y se dio cuenta que el universo estaba vacío. Decidió entonces sumergirse en el océano donde le recibió la diosa Tierra. Ésta lo adoró y le dijo: «Salve, oh tú, en quien están todas las criaturas. Elévame como en otro tiempo lo hiciste». Fue así que Brahma, el poderoso de ojos de loto, levantó la Tierra de las más profundas regiones y la dividió en siete grandes porciones. Construyó las cuatro esferas inferiores, el firmamento, el cielo y la esfera de los santos.

La primera creación de Brahma fue la de Mahat (inteligencia). La segunda, Tanmatra (principios elementales). La tercera, la creación orgánica. La cuarta, los cuerpos inanimados. La quinta, los animales. La sexta, las divinidades. Y la séptima, los hombres.

Arquetipo

El arquetipo que señala a una persona que sintonice con los atributos de Brahma es aquél que siente poder en su interior, tiene capacidad de decisión, está permanentemente creando nuevas ideas, situaciones y proyectos. Son personas que piensan en los demás mediante la creación artística. Un arquetipo Brahma es dinámico y consciente, está pensando siempre en los inicios y en abrir puertas. Personas confiadas y optimistas. Aman las expresiones de la gente y son tolerantes. No son estrechos en sus ideales como la mirada de una hormiga, más bien tienen una mirada de águila en su interior.

Oración a Brahma

«Brahma, dios de la creación.
Por favor, crea nuevas sinfonías y nuevas flores,
nuevos niños y nuevos atardeceres, nuevos árboles y nuevas relaciones.
Deseando que todos comprendan que nos regalas
el presente de la vida, para que hagamos de él una obra de arte.»

GUILLERMO FERRARA

Tomates rellenos

Recetas de arroces, tomates y patatas

Creando círculos

Tomates rellenos

6 tomates grandes
1/2 kg de carne de ternera picada o bien puede reemplazarse por soja texturizada
150 g de arroz cocido
1 cebolla picada
2 dientes ajo
aceite
50 g de piñones
sal y pimienta
canela, azafrán y mejorana
50 g de pasas de Corinto
1 manojo de perejil

1. Lava y vacía los tomates. Sazona y pon a macerar sobre una rejilla durante 1 hora. Dale la vuelta de vez en cuando.
   Rehoga el ajo y la cebolla.
2. Añade la carne o la soja texturizada, los condimentos, los piñones y las pasas. Deja cocer 15 minutos.
3. Añade el arroz y rellena los tomates con esta preparación. Hornea a 180° C y, unos minutos antes del final de la cocción, pon la tapa de los tomates. Decora con perejil y ya puedes servir.

Dejando la mente en paz

Arroz con coco rallado

2 tazas de arroz blanco
1/2 coco
1 cucharada de levadura
azúcar
sal
2 cucharadas de arroz cocido parcialmente en polvo

1. Remoja el arroz durante 4 horas. Lava y escurre. Muele el arroz y añade poca agua para que quede una masa espesa. Recuerda retirar la parte de las 2 cucharadas de arroz sin moler (*kurukku*), que necesitarás más adelante.
2. Deja que fermente en un cuenco con1/4 de taza de agua tibia, una cucharada de azúcar y una cucharadita de levadura.
3. Muele el coco hasta que dé una masa lechosa. Mézclalo con el kurukku y la levadura y déjalo fermentar durante 6 horas. Añade azúcar y sal al gusto (puedes añadir un poco de leche de coco para ajustar la consistencia).
4. Coloca la mezcla en el horno durante 2 horas. Se sirve frío.

Croquetas de bacalao

La fusión del cuerpo y del alma

Croquetas de bacalao

1/2 kg de filetes de bacalao salado
leche
pimienta, nuez moscada
500 g de patatas
50 gramos de mantequilla
2 huevos
1 cucharada de perejil
150 g de queso rallado
250 g de pan rallado
aceite de oliva
3 cucharadas de harina
1 manojo perejil
3 limones

1. Desala y desmiga el bacalao. Pon en una cacerola con las patatas cortadas en cuartos, la mantequilla, la leche, la pimienta y la nuez moscada.
2. Cuece tapado a fuego lento, luego retira y añade 1 huevo entero, 1 yema, el perejil y el queso.
3. Trabaja hasta conseguir una pasta. Refrigera durante 3 horas.
4. Haz croquetas y pasa sucesivamente por harina, huevo batido con aceite y pan rallado. Fríe y escurre.

La rueda de la vida

Sopa de garbanzos

500 g de garbanzos
3 cebollas
aceite
1 limón
sal y pimienta
2 cucharadas de bicarbonato
2 hojas de laurel y 1 clavo de olor
1 vaso de nata
150 g de tahini

1. Pon en remojo un día antes los garbanzos. Escúrrelos y ponlos en una cazuela con agua fría. Añade el clavo y cocina a fuego lento durante 2 horas.
2. Escurre y añade 1 l y medio de caldo de cocción. Deja hervir otra vez y pasa por la batidora y el colador. Incorpora el limón y el aceite. Añade condimentos a gusto,
3. luego añade la nata y el tahini y sirve.

Planetas, asteroides y meteoritos en tu imaginación

Exquisitos buñuelos de calabacín

500 g de calabacines
sal y pimienta
orégano y mejorana
pasta para hacer buñuelos

1. Lava, corta en rodajas y condimenta los calabacines.
2. Pasa por la pasta, fríe hasta dorarlos y déjalos escurrir.

Una tierra llena de amor

Curry con patatas y guisantes

3/4 de kg de patatas
2 cucharaditas de semillas de mostaza marrón
2 cebollas medianas en láminas
2 cucharadas de ghee o de aceite
2 dientes de ajo majados
1 cucharadita de cúrcuma molida
2 cucharaditas de jengibre fresco rallado
1/2 cucharadita de guindilla en polvo
1 cucharadita de garam masala
1 cucharadita de comino molido
1 taza de agua
2 cucharadas de hierbabuena picada
150 g de guisantes

1. Pela y corta las patatas en daditos. Socarra las semillas de mostaza en una cacerola a fuego medio, añade el ghee, el ajo, la cebolla y el jengibre y remueve hasta que la cebolla esté blanda.
2. Agrega la cúrcuma, el comino, la guindilla en polvo, la garam masala y la patata. Remueve hasta bañar la patata. Vierte el agua y tapa la cacerola dejando cocer la patata hasta que se ablande.
3. Mezcla los guisantes, salpimenta al gusto y déjalo tapado hasta que la patata esté cocida y se evapore el líquido.
   Adereza con hierbabuena y sirve con arroz.

Despertar espiritual

Arroz con pollo, cilantro y jengibre

500 g de filetes de pollo
2 cucharadas de aceite
2 dientes de ajo picados muy finos
50 g de albahaca picada
15 g de hojas de cilantro
1 trozo de jengibre rallado
2 cucharaditas de guindilla roja picada
1/2 kg de arroz jazmín cocido y enfriado
1 cucharada de salsa de pescado
2 cucharaditas de salsa montaña dorada o de soja
2 cebolletas picadas

1. Trocea el pollo. Vierte el aceite en una sartén y, cuando esté muy caliente saltea el ajo, el jengibre y la guindilla durante 2 minutos. Agrega los trozos de pollo y saltéalos durante 3 minutos hasta que cambien de color.
2. Deshaz el arroz, añádelo a la sartén y mézclalo todo junto. Cuando esté bien caliente, mezcla las salsas de pescado y montaña dorada o de soja junto con la albahaca, la cebolleta y casi todo el cilantro picado.
3. Adereza con el resto del cilantro molido y sirve.

Curry con patatas y guisantes

Recetas de Sarasvati

«Me emociono con cada melodía y sinfonía, diosa de las artes y la sabiduría, con cada libro y poema, con cada cuadro y escultura, con el arte de la vida, por eso te venero a través del arte que pueda expandir entre los alimentos».

Simbolismo e historia de Sarasvati

Nombre

Sarasvati es la esposa de Brahma, la diosa de la sabiduría y la ciencia, la madre de los Vedas y la creadora del alfabeto Devanagari. Es probable que haya comenzado como una diosa fluvial, ya que su nombre en sánscrito significa «la zona que tiene lagos».

Algunos estiran la traducción para que signifique «la que fluye», lo que se puede aplicar a la mente, las palabras, las ideas, o la corriente de un río.

Origen

En el Vedanta se la considera la energía femenina, Shakti, y el aspecto del conocimiento del Brahman (sabio). Como en los textos védicos, es la diosa del conocimiento, la elocuencia, la poesía y la música.

Los seguidores del *Vedanta* creen que sólo mediante la adquisición de conocimiento podrán alcanzar *moksha* (la liberación de la reencarnación).

Se considera que sólo a través de la adoración de Sarasvati y mediante la búsqueda contínua del conocimiento verdadero con atención completa se puede obtener la iluminación necesaria para alcanzar el *moksha* o liberación.

Amantes

Mora entre los hombres, pero su morada especial está situada en el *Brahmaloka*, junto a su marido Brahma.

Mitos y leyendas

Se la representa como a una mujer joven y hermosa con cuatro brazos. Con una de sus manos derechas le ofrece una flor a su marido, a cuyo lado permanece siempre, y con la otra sostiene un libro de bolas de palmera, indicando que es amante del saber. En una de sus manos izquierdas lleva un collar de perlas, llamado *Shivamla* o «collar de Shiva», que sirve de *mala* o rosario y en la otra un *damaru*, o pequeño tambor.

Otras veces se la ve con sólo dos brazos y sentada sobre un loto, tocando la *vina*, un sitar trocado en banjo. Puesto que Sarasvati fue creada por Brahma, era considerada por éste como su hija; por eso su unión con él fue vista como un delito por los demás dioses.

Atributos

Diosa del aprendizaje y de las artes, Sarasvati era una diosa adorada en la religión védica. También es venerada como la diosa de los pensamientos veraces y del perdón. No aparece con una cantidad exagerada de adornos como otras diosas, por ejemplo Lakshmi, sino que está vestida modestamente, quizá representando su preferencia por el conocimiento por encima de los objetos materiales.

En sus manos sostiene cuatro objetos: un libro (lo cual es un anacronismo, ya que empezaron a existir libros con la introducción de la imprenta por los conquistadores británicos, en el s. XVIII). Un *rosario* de perlas blancas, que representa el poder de la meditación y la espiritualidad. Un frasco con agua sagrada, que significa que el conocimiento tiene un poder purificador de los pecados. Y una *vina*, instrumento musical parecido a un *sitar*, que representa su grado de perfección en todas las artes.

Sarasvati también se relaciona con Anuraga, que representa todas las emociones que se expresan mediante el discurso o la música. Se cree que las niñas que llevan su nombre serán muy afortunadas en sus estudios.

Esta diosa se adora durante *nava ratri* (nueve noches). En el sur de la India, uno de los festivales más importantes es el Sarasvati *Puja* o ritual de adoración. Los tres últimos días de *navaratri* que empiezan en Mahalaya Amavasya (día de la luna nueva) se dedican a la diosa.

El noveno día de *nava-ratri* (*maha-navami*), los libros y todos los instrumentos musicales se guardan ceremoniosamente cerca del altar con los dioses, y se adoran con cantos especiales. Ese día nadie debe estudiar ni llevar a cabo ningún arte, ya que se considera que ese día la diosa misma está bendiciendo los libros y los instrumentos.

El festival concluye el décimo día de *navaratri* (*Vijaya Dashami*) y la diosa se adora otra vez antes de que los libros y los instrumentos se retiren del altar. Es costumbre estudiar este día, que se llama *Vidya-arambham* (literalmente, 'comienzo del conocimiento'). Durante *Vasanta Panchami* (que cae entre fin de enero y principios de febrero) los artistas, músicos, científicos, médicos y abogados le ofrecen oraciones y pujas (adoraciones con fuego, agua, inciensos, alimentos).

Arquetipo

El arquetipo de Sarasvati adora el arte. Son personas sensibles que pueden emocionarse fácilmente con una melodía, un poema o una película. Tienen sabiduría en la acción, conocen el mundo y sus artes las aplican para vivir bien en él. Son artistas innatos, tienen el sello de la creatividad a flor de piel.

En el terreno amoroso conocen técnicas para ser amantes excelentes. El arquetipo de Sarasvati nos da una persona elegante, culta y refinada.

Oración a Saraswati

«Sarasvati, diosa del arte y de la cultura.
Ojalá mi mente se abra cada vez más a tu sabiduría,
y los pétalos del entendimiento caigan sobre mi en la intuición.
Donde los pájaros se posen y canten su melodía,
pueda yo siempre ver la luz del mediodía.»

GUILLERMO FERRARA

Ensalada del Edén

Recetas de ensaladas, postres y dulces

Sinfonía de los amantes

Ensalada de plátanos y nueces con queso de jengibre

2 plátanos maduros
75 g de apio picado
50 g de nueces peladas y picadas
una pizca de pimentón
zumo de 1 limón
sal al gusto
2 cucharadas de aceite de oliva
2 cucharadas de miel
2 cucharadas de queso cremoso
1/2 cucharadita de jengibre en polvo

1. Pela los plátanos y córtalos a rodajas. Rocíalos con la mitad del zumo de limón para que no se oxiden y mézclalos con el apio, las nueces, el pimentón y sal al gusto.
2. Prepara el aderezo de queso de jengibre, que le acabará de dar el toque afrodisíaco a la ensalada. Mezcla el aceite, la miel, el queso y el jengibre. Remueve bien y vierte sobre la ensalada de plátanos y nueces.

El arte está en tus manos

Ensalada del Edén

1 lechuga
2 granadas (o 10 tomates cherry)
3 cucharadas de aceite de oliva
algas nori o hiziki, al gusto
una pizca de: pimienta negra, eneldo, sal de ajo, sal de apio, tomillo, albahaca, menta, azafrán y paprika
2 cucharadas de vinagre

1. Mezcla todos los ingredientes menos la lechuga y las granadas (o los tomates) con dos cucharadas de agua. Remueve para que quede un aliño bien mezclado.
2. Trocea la lechuga, lávala y ponla a escurrir. En una fuente, presenta la lechuga con las granadas o los tomates cortados por la mitad y bañada con el aliño.

Corazón de artista

Dulce de frutas

1/2 docena de dátiles
1/2 docena de higos secos
1/2 melón
1/2 cucharada de canela
1 cucharada de raíz de regaliz
2 cucharadas de miel
1 tacita de agua

1. Trocea los dátiles, los higos secos y la raíz de regaliz.
2. Ponlos a hervir durante 15 minutos a fuego lento. Retira la mezcla del fuego y añade la miel, la canela en polvo y el melón, que deberá estar troceado.
3. Pasa por la batidora. Y sírvelo enseguida.

Consagración literaria

Oro de frutos secos y granada

2 granadas
2 cucharadas de almendras picadas
1 cucharada de sésamo
1 cucharada de semillas de calabaza
1 cucharada de piñones
1 cucharadas de sake

1. Pela las granadas y reserva. Pica las almendras, los piñones y el sésamo, y mézclalos en un bol. Tritura la granada y añádela a la mezcla.
2. Vierte el sake y pasa la mezcla por la licuadora.
   Este magnífico elixir se sirve frío.

El culto de la diosa

Néctar divino de papaya

1/2 papaya fresca
1 cucharada de zumo de limón
2 cucharadas de ron blanco
2 cucharadas de azúcar moreno
1 taza de hielo triturado

1. Pela la papaya y quítale las pepitas. Córtala en trocitos pequeños y mézclala con el resto de los ingredientes. Sirve en copas de cóctel.
   (ver fotografía en pág. 02)

Tallando tu escultura

Delicias de castaña y jengibre

4 yemas de huevo
3 cucharadas de azúcar moreno
225 g de puré de castañas
50 g de jengibre fresco
4 cucharadas de licor de naranja
1 cucharada de zumo de limón
1/2 l de nata líquida

1. Bate las yemas de huevo con el azúcar. Pica el jengibre finamente y añádelo a las yemas junto con el puré de castañas, el licor y el zumo de limón.
2. Agrega la nata líquida y mezcla bien. Reserva en la nevera.
   Este postre se sirve frío.

Piel encendida, corazón místico

Copa del paraíso

1 piña pequeña
1 kiwi
1 mango
1 fruta de la pasión
1 plátano
2 cucharadas de azúcar de caña
1 cucharada de ron blanco
agua

1. Extrae la pulpa de la piña con cuidado de no estropear la cáscara. Pela todas las frutas menos la fruta de la pasión y córtalas, más o menos, en dados del mismo tamaño.
2. Reparte la fruta dentro de las cáscaras. Ahora, hierve el hueso de mango con el azúcar, el ron y la pulpa triturada de la fruta de la pasión.
   Retira el hueso y vierte el almíbar sobre la fruta.

Estallido de pasión

Ginseng, jengibre y miel

55 g de raíz de ginseng amarillo
25 g de raíz de jengibre en rodajas
1/2 l de agua

1. Se cuecen a fuego lento el ginseng y el jengibre en el agua, durante 45 minutos.
   Se endulzará con miel, bien sea de azahar, de romero o de eucalipto.

Recetas de Vishnú

«Eres el dios que conserva y expande el universo, te pido que continúe tu equilibrio entre la creación y la destrucción, conservándonos llenos de vitalidad, por ello te preparo alimentos llenos de equilibrio».

Simbolismo e historia de Vishnú

Nombre

Vishnú es el dios conservador, el restaurador y el dios del sol para los hindúes. Es una figura muy importante de la mitología hindú. El prefijo Vis de Vishnú significa «expansión».

A Vishnú se le conoce por muchos nombres: Ananta, Hari, Madhava, Mukonda, Narayana y Svayambhu.

Origen

La esencia de la enseñanza del *Vishnú Purana* (texto antiguo de la India) se resume en pocas líneas: *«Escuchad el compendio del Purana entero. El mundo fue producido por Vishnú; existe en Él y Él es la causa de su continuidad y cesación. Él es el mundo»*. Inmediatamente después aparece un himno dedicado a Él que comienza así: *«Gloria al invariable, santo, eterno, y supremo Vishnú, de naturaleza universal, el más poderoso de todos.*

Gloria a Él, que es Hiranyagarbha (Brahma), Hari (Vishnú) y Sankara (Shiva) el Creador, Conservador y Destructor del mundo». Estos textos lo mencionan como hacedor, destructor y conservador, aunque la mayoría lo reconoce como el que conserva y mantiene el universo.

Amantes

La diosa Lakshmi es su hermosa esposa con quien tuvo a Kama, dios del amor (el equivalente a Eros o Cupido en la tradición griega y romana).

Mitos y leyendas

Vishnú tuvo diez encarnaciones; estos avatares aparecían en el mundo para resolver pro-

blemas y salvar a la humanidad del desastre.

Su primera encarnación fue un pez (*Matsya*) que salvó a la humanidad del diluvio.

Para su segunda encarnación, *Kurma*, tomó la forma de una tortuga y ayudó a remover el océano (de aquí salió la ambrosía de la inmortalidad y varios seres divinos). Varaha, un jabalí que volvió a salvar a la humanidad de una inundación fue su tercera encarnación.

Narasimha, su cuarto avatar, era medio hombre y medio león. Con esta encarnación consiguió derrotar a Hiranyakashipu, un rey demonio lo suficientemente fuerte como para conseguir que Indra, dios del cielo, abandonara su trono.

La quinta encarnación de Vishnú, *Vamana*, fue un enano. Su tarea consistió en volver a hacerse con el control de los tres mundos, entonces gobernados por el rey demonio Bali.

En la sexta reencarnación, Vishnú tomó la forma de un Brahmán, *Parashu-Rama*, que era un sacerdote y un guerrero. En esta ocasión tuvo que bajar a la tierra en nombre de los dioses para disminuir el poder de los Kshatriyas, que era la clase dirigente.

El séptimo avatar de Vishnú fue *Rama Chandra*, el hijo del rey Dasa-ratha de Oudh, Sri Lanka. Este rey era muy devoto de Brahma y había adquirido unos poderes sobrenaturales. De-masiado poder al parecer de los dioses, así que Vishnú tuvo que intervenir.

La octava encarnación y posiblemente la más popular fue *Krishna*, el octavo hijo de Devaki, esposa de Vasudeva. La novena encarnación de Vishnú, según las creencias hindúes y budistas, fue el sabio *Buda*. El décimo y último avatar de Vishnú es *Kalki*. Este último está por llegar, y cuando lo haga tendrá forma de un caballo blanco (con un jinete o no).

Atributos

Normalmente, Vishnú aparece representado con la piel azul, sujetando con sus cuatro manos una concha, un garrote, un disco y un loto. Vishnú es adorado como un dios que está por todas partes (dios supremo para sus adoradores), el dios desde cuyo ombligo brotó una flor de loto, dando a luz al creador (Brahma).

Vishnú creó el universo, separando el cielo de la tierra; más adelante, y en muchas ocasiones, tuvo que ayudarlo a sobrevivir.

También se le adora bajo la forma de muchos dioses decadentes o, por lo menos, burdas reencarnaciones de éstos. Muchos de ellos son animales que suelen aparecer en la iconografía hindú: el pez, la tortuga y el cerdo.

Otros son los enanos *vamana* (quienes se transformaron en un gigante para engañar a *Bali*, el demonio, y expulsarlo así del universo); el hombre león *Narasimha* (quien destripó al demonio *Hiranyakashipu*); el *Buda* (que se encarnó con el fin de enseñarles una doctrina falsa a los demonios piadosos); *Rama* con un hacha (*Parashurama*, que decapitó a su madre porque no era casta, matando luego a toda la clase de los Kshatriyas para vengar a su padre), y *Kalki* (el jinete del caballo blanco, que vendrá a destruir el universo al final de la era de Kali). Pero, con diferencia, los más populares son *Rama* (el héroe del Ramayana), y *Krishna* (héroe del Mahabharata y del Bhagavata-Purana); se dice que ambos son encarnaciones de Vishnú, a pesar de que en un comienzo fueron héroes humanos.

Arquetipo

Este arquetipo marca a personas poderosas pero que no siempre arriesgan. Cuidan su poder, conservan una relación, una posesión, una idea o una empresa.

El arquetipo de Vishnú son personas que no quieren que haya conflictos entre la gente, median para calmar las aguas y los nervios. Son equilibrados. Se mueven por el erotismo en el terreno sexual. Son amorosos y tratan de conservar la misma pareja, aunque la leyenda nos dice que Vishnú está rodeado de *gopis*, o mujeres llenas de amor.

Oración a Vishnú

«Vishnú, dios de la conservación,
te pido que conserves la luz en mi vida
y yo la pueda agigantar,
que se conserve mi salud y mi paz,
y pueda conservar la energía a través
de estos alimentos.»

GUILLERMO FERRARA

Ensalada de apio con un toque de picardía

Manteniéndote vivo

Endibias de la pasión

2 endibias
1 huevo duro
16 nueces
3 cucharadas de aceite
1/2 cucharada de vinagre
1/2 cucharadita de estragón
sal y pimienta al gusto

1. Lava las endibias bajo un chorro de agua templada. Recuerda quitarles las hojas que no estén en buen estado.
1. Pica las nueces y mézclalas con las endibias. Trocea el huevo duro y mézclalo con el resto de los ingredientes.

Añade las endibias y las nueces y mezcla bien.

Viento del deseo

Ensalada de apio con un toque de picardía

1 bulbo de apio
2 manzanas reinetas
1 yema de huevo
sal y pimienta al gusto
2 cucharadas de aceite de oliva
1/2 cucharada de ron blanco

1. Lava el apio y córtalo en trozos de 3-5 cm. Pela las manzanas y córtalas en rodajas finas. En una fuente, coloca las manzanas en el centro y el apio rodeándolas.
   Rocía las manzanas con limón para que no se ennegrezcan.
2. Para preparar la mahonesa, bate la yema de huevo con sal y pimienta al gusto mientras vas añadiendo el aceite dejándolo caer en un hililllo.
   Añade el ron para darle un toque especial y sigue batiendo hasta lograr la consistencia adecuada.

Cuerpos desnudos

Ensalada erótica

hojas de lechuga
150 g de queso gruyere
3 cucharadas de aceite de oliva
1 cucharada de salsa de soja
1/2 cucharadita de tomillo
sal y pimienta al gusto

Algunos quesos están considerados un alimento de probadas cualidades afrodisíacas. Esta ensalada es fácil y rápida de preparar; así que te puede salvar de un apuro si tienes una agradable visita imprevista.

1. Lava la lechuga y córtala. Colócala en una fuente y añade el queso cortado en dados. Prepara una salsa de soja con el resto de los ingredientes y viértela sobre la ensalada.

Mezcla de sabores

Arroz, pollo y curry

1/2 pechuga de pollo troceada
1 cebolla
1 manzana
1 limón
2 cucharadas de pasas
2 cucharadas de almendras fileteadas o piñones
2 y 1/2 vasos de agua
1 vaso de arroz redondo
sal
curry
aceite de oliva

1. Pon el pollo a cocer en el agua con un chorrito de limón y algo de sal hasta que esté tierno.
2. Pica fina la cebolla y dórala en una sartén con un poco de aceite de oliva. Cuando esté transparente, agrega la manzana pelada y cortada en daditos y remueve.
3. Tras un par de minutos, añade el arroz, las pasas y las almendras. Luego el curry (la cantidad depende del tipo de curry. Si es el de los más clásicos, añade 1 cucharada sopera). Rehoga unos minutos.
4. Añade el caldo y el pollo y sube el fuego para que hierva, removiendo todo unos segundos. Rectifica de sal.
   Cuando el caldo comience a hervir, baja el fuego manteniendo un leve hervor hasta que el arroz esté listo (unos 20 minutos). Si los granos de la superficie están algo más duros, deja reposar la sartén tapada durante unos minutos.

2 patatas grandes peladas y en dados
2 cucharadas de cebolleta picada
1 diente de ajo
1 guindilla verde sin semillas picada
1 kg de arroz basmati
2 cucharadas de ghee o mantequilla
1 cucharadita de azúcar
1 cucharada de zumo de limón
2 cucharadas de hojas de cilantro picadas
pimienta negra para sazonar
2 cucharaditas de garam masala
2 cucharadas de harina de garbanzos
1 paquete de papads medianos sin condimentar *
aceite de oliva

Penetrando la puerta de la vida

Patatas rellenas de arroz

1. Hierve en agua con sal las patatas hasta que estén tiernas; escúrrelas y haz un puré. Reduce el ajo, la cebolleta y la guindilla hasta crear una pasta y fríela con *ghee* junto con el arroz previamente hervido.
2. Añade el azúcar, el *garam masala*, la patata batida, el zumo de limón y las hojas de cilantro y adereza con la pimienta. Trabájalo hasta tener una pasta homogénea y moldéala en rollitos un poco más cortos que el diámetro de los *papads*.
3. Haz una pasta con la harina de garbanzos y el agua fría; escúrrelos y sécalos. A lo largo y en el centro de cada papads repártelos y unta el reborde de este último con la pasta de garbanzos; enróllalo sobre el relleno pegando los extremos con un tenedor.
4. Calienta un poco el aceite y fríe en tandas los rollitos hasta que estén crujientes y bien dorados. Retíralos déjalos escurrir. Sírvelos bien calientes acompañados de chutney de mango picante y decóralos con cebolleta picada o con cilantro.
   * Los *papads*, como cualquier producto de las recetas de dioses hindúes, puedes adquirirlos en cualquier tienda de venta de productos orientales.

3 tazas de repollo cortado, col o berza
1/2 cucharadita de cúrcuma en polvo
1/2 cucharadita de semillas de comino
3 pimientos verdes picantes o Cayena
1/2 taza de coco
3 dientes de ajo
1 cebolla
1 cucharadita de urad dal
1/2 cucharadita de semillas de mostaza
aceite de oliva
sal

Unidad cósmica

Repollos y pimientos picantes

1. Corta la cebolla. Calienta en una sartén unas gotas de aceite con algunas semillas de mostaza, cuando revienten añade el urad dal y las hojas de curry. Después añade las cebollas y saltea hasta dorar.
2. Incorpora el repollo, cúrcuma en polvo y sal. Remueve, baja la intensidad del fuego y tapa durante 5 minutos.
3. Tritura los ajos y las semillas de comino, añade la Cayena y el coco. Remueve unos minutos más y retira del fuego.

1/4 de kg de judías verdes
2 zanahorias en rodajas finitas
1/2 kg de lentejas verdes
1 cebolla grande
1 patata grande
1 cucharadita de comino molido
1 cucharadita de cilantro molido
1 cucharadita de cúrcuma molida
100 g de harina
aceite para freír
2 dientes de ajo picados
1 cucharada de jengibre rallado
1/4 de kg de puré de tomate
1/2 l de caldo de verduras
1/4 de l de nata

Para la salsa
1 cucharada de ghee o aceite
1 cebolla cortada en juliana
1 guindilla verde picada
3 cucharaditas de jengibre fresco rallado
2 dientes de ajo majados
1 cucharadita de cúrcuma molida
3 cucharaditas de cilantro molido
1 cucharadita de guindilla en polvo
2 cucharaditas de comino molido
2 cucharadas de vinagre blanco
1 vaso y medio de leche de coco
2 tazas de agua
200 g de yogur

Reencarnación hacia la iluminación

Cazuela de lentejas

1. Pon las lentejas en remojo durante 6 horas.
2. Corta en rodajas finitas la cebolla y la patata.
3. Mezcla bien las lentejas, la patata, el comino, la cebolla, la cúrcuma, el cilantro y la harina. Con la masa prepara bolitas del tamaño de una ciruela y colócalas en una bandeja cubierta con papel de aluminio. Guárdalas en el frigorífico durante 1 hora.
4. En una sartén fríe las albóndigas con aceite muy caliente y resérvalas en un plato con papel de cocina para que suelten todo el aceite.
5. Calienta más aceite en una cacerola y sofríe el jengibre y el ajo durante un par de minutos.
6. Vierte el puré de tomate, la nata, el caldo y mézclalos bien. Hierve sin tapar durante 10 minutos a fuego lento.
7. Agrega la zanahoria, las albóndigas y las judías .Tapa y cuece a fuego lento durante 30 minutos, removiendo de vez en cuando.

Cazuela de lentejas

Recetas de Lakshmi

«Diosa de la dulzura y la belleza lleno de luz el corazón a través del sabor dulce de los postres, para que los humanos recuerden que el amor es lo más dulce de la vida».

Simbolismo e historia de Lakshmi

Nombre

Lakshmi, la diosa de la fortuna, es la consorte o Shakti de Vishnu. Es muy popular entre empresarios y comerciantes, a la cual adoran cada día antes de abrir sus negocios.

Es muy popular el Dipavali, fiesta de la luz en la cual Lakshmi es la divinidad central. En esta fiesta todas las casas, templos y calles se llenan de multitud de lámparas de aceite, y en todas partes se respira un ambiente de fiesta y alegría.

Origen

Es la diosa del amor. Nació en un lago de leche. Su belleza era comparable a una flor de loto

Amantes

Su consorte es Vishnú, el dios de la conservación.

Mitos y Leyendas

La fiesta de Lakshmi tiene lugar en el decimoquinto día de la quincena oscura del mes de *Karttika* (del 21 de octubre al 18 de noviembre), y puede durar cuatro o cinco días. Conmemora la muerte del demonio Karakásura a manos de Krishna y la liberación de 16.000 doncellas que éste tenía prisioneras.

Celebra también el regreso a la ciudad de Ayodhya del príncipe Rama tras su victoria sobre Ravana, rey de los demonios. Según la leyenda, los habitantes de la ciudad llenaron las murallas y los tejados con lámparas para

que Rama pudiera encontrar fácilmente el camino. De ahí la tradición de encender multitud de luces durante la noche. Las casas se limpian de forma especial y se adornan con diversos motivos y lámparas de aceite o velas que se encienden al atardecer. Es usual celebrar una comida compuesta de sabrosos platos y dulces, hacer regalos a las personas cercanas y familiares, los fuegos artificiales y los juegos.

Es el momento para renovar los libros de cuentas, hacer limpieza general, reemplazar algunos enseres del hogar y pintarlo y decorarlo para el año entrante.

Es tradición que la diosa favorecerá de forma especial a quienes se reconcilien con sus enemigos. Se aconseja instalar un altar en un lugar preferente de las casas donde esté presente una imagen de Lakshmi a la que se le ofrecerán flores, incienso y monedas mientras se repite el mantra: OM SHRI MAHALAKS,IYAI NAMAH. *«En la búsqueda del Ser me entrego a Lakshmi que otorga la prosperidad».*

Al anochecer se abren todas las ventanas y puertas de las casas y en cada una de ellas se realiza un ofrecimiento de luz con una lámpara de aceite o una vela, repitiendo el mismo mantra, para que Lakshmi entre para el resto del año.

También se lanzan barcos de papel o lamparillas encendidas a los ríos sagrados, cuanto más lejos vayan, mayor será la felicidad en el año venidero y se elaboran unos diseños llamados *manora*, que son unos dibujos hechos en las paredes y que se adornan durante el festival. A la salida del sol es de ritual lavarse la cabeza, lo que tiene el mismo mérito que bañarse en el sagrado Ganges.

El simbolismo de la fiesta consiste en la necesidad del hombre de avanzar hacia la luz de la Verdad desde la ignorancia y la infelicidad, es decir, obtener la victoria de la dharma sobre la *adharma*.

Atributos

El *Diwali* es una fiesta religiosa hindú conocida también como el festival de las luces. Durante el Diwali, celebrado una vez al año en noviembre, la gente estrena nuevas ropas, comparte dulces y hace explotar petardos y fuegos artificiales. Es la entrada del nuevo año hindú, y una de las noches más significativas y alegres del año.

La divinidad que preside esta festividad es la diosa Lakshmi, consorte del dios Vishnú. Ella otorga la prosperidad y la riqueza, por eso es especialmente importante para la casta de los comerciantes (*vaisyas*). También el dios Ganesha es especialmente venerado ese día.

En el este del país se venera particularmente a la diosa Kali. Durante la fiesta de la diosa de la buena suerte, se visita toda casa iluminada por una lámpara. Aparte de estas manifestaciones populares, el simbolismo de Lakshmi es mucho más profundo. En su iconografía se la representa de pie o sentada sobre una flor de loto, que significa pureza espiritual.

Según los grandes yoguis, si no estamos afianzados en la pureza interior no podemos disfrutar del don que Lakshmi representa: el tesoro espiritual de la iluminación.

Arquetipo

El arquetipo de Lakshmi está señalado en personas que tienen a flor de piel la amabilidad, que aman la belleza y la paz, que se emocionan con las melodías y la perfección de la creación.

Son personas serviciales, silenciosas, sonrientes y bondadosas. Tienen la premisa de quien no vive para servir, no sirve para vivir. Un arquetipo de Lakshmi refleja una imagen de belleza, presencia y luminosidad a cualquier sitio que van. La dulzura al hablar, sus gestos e ideas son serenas y pacíficas.

Oración a Lakshmi

«Lakshmi, diosa de la dulzura,
que toda palabra y acto se impregnen de tu néctar.
que las voces de los devas resuenen en mi interior,
que la dulzura nos una unos a otros como luces.
Te venero con postres y dulces.»

GUILLERMO FERRARA

Pubis contra pubis

Recetas de postres dulces

Más allá de los sentidos

Elixir mágico de plátano

3 plátanos maduros
1 cucharada de azúcar moreno
una pizca de pimienta de Jamaica
1 taza de agua

1. Lava bien los plátanos pero sin pelarlos. Ahora, cuécelos a fuego lento 25 minutos. Pélalos y quítales la carne.
2. Raspa la parte interna de la piel y mezcla las raspaduras con el azúcar y la pimienta. Pon a hervir agua y añade esta mezcla. Remueve hasta que se forme el caramelo.
   Este elixir de plátano (un poderoso afrodisíaco) es excelente para añadir a una macedonia de frutas.

Fricción del deseo

Pubis contra pubis

50 g de pétalos de rosa secos machacados
2 vasos de leche de almendras
1/2 cucharada de canela
1/2 cucharada de jengibre
2 cucharadas de harina de arroz
100 g de dátiles deshuesados y picados
3 cucharadas de piñones
2 cucharadas de agua fría
pétalos de rosa frescos

1. Este poderoso afrodisíaco os llenará de deseo. Pon en remojo los pétalos secos en la leche de almendras. Pasados 10 minutos, añade la canela y el jengibre, y remueve bien.
1. Cuece a fuego lento durante 5 minutos e incorpora la harina de arroz y el agua. Agrega los dátiles y los piñones y remueve.
   Sirve este plato tibio y decorado con los pétalos de rosa frescos.

Tocando tus caderas

Postre sensual

4 mangos maduros
1 taza de leche
1/2 cucharada de azúcar
una pizca de pimienta negra

1. Pela los mangos y quítales los huesos. Pasa la fruta por la batidora con el azúcar y la leche.
2. Sólo queda añadir una pizca de pimienta y ya puedes disfrutar de esta receta que es uno de los afrodisíacos de Oriente.

Dulce encuentro

Crema de nueces

225 g de nueces peladas
1 vaso de leche de cabra
2 cucharadas de miel
4 yemas de huevo

1. Desmenuza las nueces y hiérvelas a fuego lento en la leche para que se pongan blandas. Luego, bátelas con la miel, el líquido de la cocción y las yemas de huevo.
Este postre estimula las pasiones más ardientes si lo sirves bien frío y acompañado de algún licor dulce.

Abrazo interminable

Manzanas en licor de rosas

4 manzanas
1 tacita de licor de rosas
30 g de azúcar
1/2 l de vino tinto
2 hojas laurel
1 clavo

1. Pela y vacía las manzanas. Hierve el vino con el azúcar, el licor y el clavo. Añade las manzanas y cocina a fuego lento diez minutos.
Verifica la cocción con un tenedor.
2. Presenta en una ensaladera y añade el vino.
Enfriar 2 horas.

Postre sensual

Pastel de setas con polenta

La elevación en el amor

Pastel de setas con polenta

500 gr de niscalos troceados
l diente de ajo
30 gr de mantequilla
perejil, salvia
200 gr de queso enmental rallado
300 gr semola de maiz

1. Saltea un poco los niscalos con el ajo y el perejil, y pon a hervir 1 litro de agua con sal marina. Se añade la sémola de maiz y la dejaremos cocer 5 minutos a fuego lento, sin dejar de remover.
1. Untar un molde de horno con un poco de aceite en el que pondremos la mitad de la polenta, las setas, parte del queso rallado y lo cubriremos con la otra mitad de polenta. Es el momento de repartir por encima el resto del queso rallado y varias hojas de savia.
   Ponerlo al horno 25 minutos y 5 más al gratinador.
   Acompañarlo de escarola o lechuga y granada.

Unidos por el deseo

Pastel de hojaldre

350 g de masa de hojaldre
congelada
1/2 l de leche
3 huevos
350 g de azúcar
2 cucharadas soperas de
mantequilla
5 cucharadas rasas de maizena
1 cucharadita de vainilla en polvo

Para el jarabe:
125 g de azúcar
3 cucharadas soperas de agua
1 limón
un trocito de canela en rama

1. Descongela la masa de hojaldre y separa las hojas. Mezcla la maizena en una taza con la mitad del azúcar y una pizca de sal. Pon la leche a hervir y echa poco a poco la mezcla de la taza removiendo sin parar con una cuchara de madera. Cuando cuaje la crema, retira del fuego y añade mantequilla. Bate los huevos con la otra mitad de azúcar. Añade la vainilla e incorpora poco a poco la crema, moviendo sin cesar. Tapa y deja enfriar.
2. Unta un molde rectangular para horno con mantequilla. Extiende con rodillo las hojas de hojaldre hasta que queden bien finas y úntalas por las dos caras con mantequilla. Enciende el horno a 180 °C.
3. Pon en el molde la mitad de las hojas de hojaldre, vierte la crema y cubre con el resto del hojaldre. Con un cuchillo da unos cortes en rombos llegando hasta el fondo del molde. Unta con mantequilla la superficie y moja con un poco de agua fría. Pon en el horno durante 45 minutos.
4. Ralla la corteza del limón y exprime el zumo. Pon el agua a fuego lento junto con el azúcar, la ralladura de limón y la canela. Pon a hervir 5 minutos, retira del fuego y agrega el zumo de limón.
   Al sacar del horno el pastel, rocía con el jarabe caliente.

4. Dioses mayas y aztecas

Teotihuacán (cultura azteca, Méjico)

La serpiente emplumada

Las culturas mayas y aztecas están rodeadas de cierto halo de misterio los sacrificios humanos, las controvertidas teorías en relación con los ovnis, las fantásticas pirámides que han construído, la precisión en su calendario, el conocimiento del cosmos y los planetas, los poderes interiores, etc-.

Es enormemente interesante su simbolismo, sus ritos, su religión y mitología. Hay muchos puntos en común con otras tradiciones. Por ejemplo, hay un creador, destructor y conservador del universo; el dios **Quetzalcóatl** resucitó al tercer día; las profecías que se han cumplido o la que anuncia un cambio universal del planeta en el 2012.

Se calcula que la extensión territorial abarcada por la civilización maya fue aproximadamente de unos 500.000 km2, los cuales comprenden regiones de Guatemala, Belice, El Salvador, el occidente de Honduras y los estados mexicanos de Yucatán, Quintana Roo, Tabasco, Campeche y Chiapas.

El origen de estos pueblos indígenas mesoamericanos data de hace más de 3.000 años y sus legados fueron tan importantes que son considerados la raíz de civilizaciones posteriores.

Existen divergencias acerca del inicio de la cultura maya como tal, algunos historiadores señalan el comienzo del período formativo o pre-clásico hacia el 1.500 a.C., Duró cerca de un milenio y medio.

El período clásico, época de esplendor de la civilización maya, se ubicó entre los años 250 y 900 d.C. En esta etapa, construyeron grandes centros ceremoniales tales como Palenque, Tikal y Copán. Hacia el 900 d.C. estos centros fueron abandonados de forma misteriosa y es lo que se conoce como la época de decadencia del Imperio. Para el siglo IX los vestigios mayas comienzan a escasear y se inician las migraciones hacia la península del Yucatán.

La religión maya era básicamente politeísta y se centraba en el culto de los dioses de la naturaleza; de esta manera, el dios más impor-

Quetzalcoatl (Teotihuacán, México)

tante era Quetzalcoatl, también conocido como Kukulkán. A esta deidad le seguía el culto al dios de la lluvia o *Chac*. Según los maya, el dios Chac controlaba la cantidad de lluvia, los truenos, los relámpagos, las tormentas, etc. Es importante ver que los griegos también coincidían con esto: Zeus, dios del trueno; Poseidón de la mar y la lluvia, etc.

Creían que sus deidades eran responsables de la creación (en el sentido de destrucción y recreación del universo). Recordemos que para los hindúes es muy parecido, o lo mismo, con diferentes nombres: Brahma (creador), Shiva (destructor), Vishnú (conservador). Los mayas pensaban que los eventos naturales eran producto de la ira de los dioses y para calmarlos o satisfacerlos ofrecían ofrendas y sacrificios, algo similar a los griegos antiguos.

Otros dioses de importancia para los mayas eran el de la luna y el del sol, llamados, *Ixchel* e *Itzamná*, respectivamente. Para ellos, éstos eran los progenitores de los seres humanos y por eso eran la segunda deidad en importancia después del dios supremo *Hunab-Ku*. Entre otras creencias figuraba la existencia de los diferentes cielos e infiernos a donde iban los fallecidos según la categoría social y la vida que habían llevado. Sus dioses más importantes son:

Huitzilopochtli: Dios del sol y de la guerra.

Quetzalcoatl: la serpiente emplumada, dios de la agricultura, la sabiduría.

Tezcatlipoca: Dios de la oscuridad y de la muerte.

Coatlicué: la temible diosa de la Tierra.

Toda su vida cotidiana, celebraciones, negocios, guerras, trabajos... se relacionaban con la religión y la espiritualidad. Los dioses recibían ofrendas y sacrificios, así como sus actividades cotidianas gozaban de la protección divina. Si desobedecían merecían castigos y

Máscaras de Cohunlich (Méjico)

Dos Jaguares (Uxmal, Méjico)

calamidades. Los dioses fueron los creadores del universo y la vida, y por ello se les ofrecían ceremonias y fiestas.

De todas las culturas prehispánicas, los mayas tienen un valor muy especial para la civilización occidental, ya que desarrollaron muchos inventos que serían luego la base o punto de comparación de muchos hallazgos modernos. Ejemplo de ello fue el estudio de la astronomía, el sistema calendario, la escritura jeroglífica y la arquitectura ceremonial altamente bien elaborada y decorada.

Muchos estudiosos coinciden en que la arquitectura lograda por los mayas fue muy refinada y hasta fuera de serie. Las construcciones fueron generalmente en forma piramidal distribuidas en espacios abiertos tipo plazas. El elemento fundamental de sus construcciones fue el arco, el cual es comparable en su forma a un triángulo truncado.

En las ruinas de los centros ceremoniales de Palenque, Uxmal, Mayapán, Copán, Tikal, Uaxactún, Quiriguá, Bonampak y Chichén Itzá todavía puede apreciarse los vestigios de lo que fue el esplendor de esta manifestación artística.

Sin embargo, lo que es considerado como el mayor aporte o invención maya fue el **calendario**, casi tan exacto como el que se utiliza hoy en día, lo cual refleja el gran conocimiento de la astronomía y de las matemáticas que poseín para hacer cálculos tan exactos.

Con ayuda de arqueólogos e historiadores se han podido correlacionar ciertos pasajes del calendario maya con el cristiano. Así se han podido descifrar muchas fechas registradas en dinteles, escalinatas y centros ceremoniales.

Vamos a deleitarnos con el **chocolate**, con esa delicia que los mayas y aztecas conocían como «alimento de los dioses».

Recetas de Quetzalcoatl

«Tú que te mueves con la precisión y sigilo de una serpiente, que eres dulce y compasivo, a ti Quetzalcoatl te rindo homenaje por regalarnos el chocolate, la abundancia de la tierra y las cosechas de todo lo que sembramos en la vida.»

Simbolismo e historia de Quetzacóatl

El nombre

Quetzalcoalt proviene etimológicamente de quetzal (una especie de ave autóctona de Mesoamérica y muy apreciada por su plumaje de vivos colores, rojo escarlata y verde) y de *cóatl* (serpiente). Así, su significado es «serpiente emplumada».

Su origen es muy antiguo; aunque los máximos difusores de esta deidad fueron los aztecas, no fueron ellos los que lo descubrieron y difundieron. La idea de la serpiente emplumada procede al menos de la civilización de Teotihuacán (siglos III-VIII), la gran ciudad de la meseta central de México. En aquella época primitiva, probablemente se consideraba a Quetzalcóatl como el dios de la vegetación, estrechamente vinculado a Tlaloc, dios de la lluvia. Los toltecas (siglos IX-XII) lo concebían como dios de las estrellas matutina y vespertina, y bajo esta forma le rendían culto en su principal ciudad, Tula.

Los aztecas asimilaron a Quetzalcóatl y lo veneraban como patrón de los sacerdotes, inventor del calendario y protector de los artesanos.

Origen

Para la historia del nacimiento de Quetzalcóatl hay varias versiones diferentes. En unas se cuenta que Quetzalcóatl nació en el año «I ácatl « (uno-caña), a quien se llamó Topiltzin (nuestro príncipe) y sacerdote Quetzalcóatl Ce-ácatl. Se cree que su madre tenía por nombre Chimalman (escudo recostado).

También se dice de la madre de Quetzalcóatl que lo concibió porque se tragó un chalchíhuitl (piedra verde). Otra versión dice que hubo un dios llamado Camaxtli que tomó por mujer una diosa llamada Chimalman. Ésta tuvo de él varios hijos entre los cuales había uno llamado Quetzalcóatl.

Mitos y leyendas

Según la leyenda, cuando Tezcatlipoca quiso provocar la marcha de Quetzalcóatl, lo persuadió mediante engaños de que bebiera el *pulque*, la bebida sagrada. Cuando Quetzalcóatl estuvo totalmente ebrio, el malvado Tezcatlipoca lo convenció para que yaciera incestuosamente con su hermana. Cuando Quetzalcóatl se despertó y vio lo que había hecho, la vergüenza y el disgusto le obligaron a marcharse de la ciudad.

Otra versión explica que, mientras que Quetzalcóatl exigía a sus súbditos sacrificios pacíficos (ofrendas de aves, jade, serpientes, mariposas), Tezcatlipoca impuso rituales más sangrientos y se produjo un enfrentamiento entre ambos, a consecuencia del cual Quetzalcóatl fue expulsado de Tula en el año 987. Se marchó con su séquito al golfo de México, se autoinmoló en una pira y renació como el planeta Venus.

En este mito, el de la serpiente emplumada, se explica que Quetzalcóatl bajó, tras su salida de Tula, al «agua divina « (el golfo de México), ayunó durante varios días y se engalanó con sus mejores ropas. Después se autoinmoló en la pira funeraria y mientras lo hacía surgían aves de las llamas. Cuando el proceso acabó, su corazón ascendió al cielo y se convirtió en Venus, la estrella matutina. Así, el dios simboliza la muerte y la resurrección.

En otra versión, Quetzalcóatl embarcó en una balsa de serpientes y desapareció por el horizonte oriental. Según una profecía, regresaría algún día, y esta creencia fue explotada por Hernán Cortés, a quien el rey azteca Moctezuma creyó Quetzalcóatl, que había vuelto para tomar posesión de su reino, cuando el conquistador desembarcó en México en 1519.

Arquetipo

El arquetipo de Quetzacoatl es el de aquellas personas místicas, sabias y confiadas. Son dulces y fuertes al mismo tiempo. Tienen temple y carácter. No dudan en cortar lazos que no son favorables para la evolución o el crecimiento. Este arquetipo nos habla de personas intensas, leales a un ideal y profundamente espirituales.

Oración a Quetzacóatl

«Quetzacóatl, dios de la transformación.
Pueda yo cambiar la piel de mi pasado
día a día renovándome,
y ver con entusiasmo el horizonte turquesa
y tener cerca la gente que me ama y me besa.»

GUILLERMO FERRARA

Trufas de chocolate y frutos secos

Tentaciones de chocolate

La danza de la serpiente

Merengues con chocolate

15 g de chocolate negro picado
4 nidos de merengue
2 porciones de helado de vainilla
2 cucharadas de crema de menta
2 cucharadas de chocolate rallado

1. Sacar el helado de vainilla del congelador media hora antes de preparar la receta. Mezcla el helado con el chocolate rallado y reparte la mezcla en los nidos de merengue.
2. Rocía con la crema de menta y adorna con el chocolate rallado.

Memoria sagrada

Trufas de chocolate y frutos secos

125 g de chocolate amargo
50 g de nueces
25 g de pistachos
25 g de almendras
1 cucharada de mantequilla
2 cucharadas de azúcar glas
2 cucharadas de cacao en polvo

1. Machaca los frutos secos para que te queden en trozos no muy grandes, sin reducirlos a polvillo. Derrite el chocolate con la mantequilla en una cazuela y añade los frutos secos y el azúcar. Mezcla bien y retira del fuego. Cuando se enfríe, forma bolitas y pásalas por el cacao en polvo.

Liberación espiritual

Peras con chocolate al aroma de jengibre

4 peras
200 g de chocolate fondant
6 cucharadas de azúcar moreno
1 trozo de raíz de jengibre.

1. Pela las peras pero no les quites el rabito. Hiérvelas con el azúcar y la raíz de jengibre. Remueve de vez en cuando.
2. Pasados 15 minutos, cuela las peras y déjalas enfriar. Justo antes de servir el plato, derrite el chocolate fondant y viértelo sobre las peras.

El regreso del maestro

Nido de chocolate

100 g de chocolate negro amargo
2 manzanas rojas
2 tazas de agua
4 cucharadas de azúcar
unas ramitas de menta fresca
1 copita de licor de manzana

1. Primero, prepara una infusión con la menta. Hierve el agua y retírala del fuego. Añade la menta y déjala 5 minutos. Luego, cuela la infusión. Ponla a cocer con cuidado de que no hierva, pues en ese caso la menta perdería sus propiedades.
2. Añade el azúcar y el chocolate y remueve hasta que se disuelvan. Agrega el licor de manzana. Retira la mezcla del fuego y cuando esté fría guárdala en el congelador durante 3 horas. Remueve de vez en cuando.
   Sirve el sorbete en copas de cóctel y adorna con hojitas de menta.

La llamada mística

Bombones de frutos secos

150 g de higos secos
125 g de nueces
125 g de almendras
100 g de pistachos
150 g de azúcar
3 cucharadas de cacao en polvo

1. Tritura todos los ingredientes menos el cacao hasta que obtengas una pasta bien homogénea. Prepara bolitas de pasta y rebózalas en el cacao en polvo.
   Estos bombones son una delicia con el poder afrodisíaco de los frutos secos y el cacao.

Impulso de vida

Benedictine de chocolate

100 g de chocolate amargo
2 cucharadas de Benedictine
3 tazas de nata líquida
100 g de azúcar
1 taza de agua
4 yemas de huevo
1/2 cucharada de pimienta de Jamaica
1 cucharada de café

El chocolate y el *Benedictine* (delicioso licor aromático de fórmula secreta, elaborado por los benedictinos de la abadía de Fecanp, en Francia) son una poderosa mezcla para despertar los apetitos sexuales.

1. Hierve el agua y añade el azúcar. Baja a fuego lento y remueve para que se disuelva. Mientras, funde el chocolate al baño María y bátelo con las yemas, la pimienta y el caramelo que hemos preparado.
2. Cuando esté tibio, añade el café, el Benedictine y la nata. Mezcla y deja enfriar en la nevera antes de servir.

Nido de chocolate

Chocolate y chocolate

Minibizcochos de chocolate

(10 raciones)
Para los minibizcochos de chocolate:
125 g de mantequilla
125 g de harina
1 vaina de vainilla
250 ml de leche
150 g de chocolate de cobertura
70 g de nueces molidas y tostadas
8 yemas
8 claras
100 g de azúcar
Mantequilla y azúcar para los moldes
10 moldes de unos 200 ml cada uno

Para adornar:
Azúcar glas

1. Abrir la vainilla a lo largo con un cuchillo afilado y extraer el interior. Poner a calentar la leche con la vaina y las semillas de la de vainilla. Fundir el chocolate de cobertura al baño María.
2. Calentar la mantequilla en un cazo, agregar la harina y dejar que coja un poco de color. Retirar la vaina de vainilla y verter la leche caliente en la mezcla de harina y mantequilla; dejar cocer unos 10 minutos a fuego bajo y sin dejar de remover.
3. Pasar la mezcla a una fuente, dejad entibiar brevemente e incorporad dos claras sin batir. Añadir entonces las yemas, una por una, removiendo hasta que la mezcla se vea perfectamente lisa. Agregar en ese momento el chocolate fundido y las nueces.
4. Montar a punto de nieve las claras restantes con el azúcar e incorporar 1/4 de este merengue a la masa, mezclando con las varillas. Combinar el resto cuidadosamente con una espátula.
5. Engrasar los moldes y espolvorearlos con azúcar. Con una manga provista de una boquilla ancha, llenar los moldes hasta 3/4 de su capacidad (la masa subirá al ir al horno).
6. Colocar los moldes en una fuente al baño María y hornear unos 20 minutos en el horno precalentado (180º). El centro de los minibizcochos debe quedar ligeramente líquido (hacer la prueba de la aguja).

Antes de servir, desmoldar los minibizcochos y con espolvorear con azúcar glas.

Mini bizcochos de chocolate con sorpresa

El símbolo de Hunab Ku

Recetas de Hunab Ku

«Origen y causa de toda la creación. Tú que nos guías por tus ciclos y juegos, me rindo a tu poder y con todo mi amor te venero en el alimento para nutrir mi cuerpo, y a través de mi meditación en el alimento del alma».

Simbolismo e historia de Hunab Ku

Nombre

Hunab Ku, dios único maya. Deidad principal en el panteón maya, la cual no podía ser representada materialmente porque era incorpórea. De éste decían que procedían todas las cosas y, como era incorpóreo, no lo adoraban.

Origen

El Todo. La inteligencia suprema, centro de las galaxias.

Atributos

Los mayas lo representaban con un símbolo.

El mensaje de los mayas

Poco a poco se descubre el legado maya, y somos más quienes nos maravillamos con estos astrónomos, matemáticos, físicos, ingenieros, constructores que nos legaron todo su conocimiento. Casi 1.000 años antes que las civilizaciones contemporáneas de su época, los mayas ya dominaban un sistema numérico binario exponencial, (el mismo que utiliza la naturaleza en la división de las células).

Unos 500 años antes de los árabes, ya utilizaban el concepto del cero, y su calendario que sincroniza el Sol, la Luna y la Tierra con el universo, es incluso más exacto que el actual. Estos increíbles astrónomos midieron incluso la rotación de nuestro sistema solar en la galaxia, lo que corresponde a 25.625 años. ¡Ellos fueron capaces de medir una rotación estelar de 25.000 años!

Sin embargo, lo más importante que han dejado los mayas han sido sus avisos a la humanidad futura. Por alguna razón, en el

auge de su brillante civilización, abandonaron sus ciudades dejando atrás palacios, observatorios astronómicos, obras de arte, cientos de monumentos y estelas... y desaparecieron. Se dice que algunos supervivientes de sus ciudades-estado guardaron los valiosos códices hallados hasta ahora.

Serpientes en la pirámide El Castillo (Chichen Itzá, Méjico)

Sus ciudades, repobladas por los olmecas después, tal vez guardaban más secretos que se han perdido, pero en piedras esculpidas en bajo relieve, comienza a aparecer una historia asombrosa donde encontramos un calendario que abruptamente, finaliza luego de una cuenta de 25.000 años, justamente en el cambio de nuestro milenio. Junto con ese calendario, siete profecías han sido descubiertas, las cuales nos avisan de un inminente cambio.

Arquetipo

¡Bendito sea aquél que tenga este arquetipo!

Son personas sensibles en extremo, tienen una visión de conciencia expandida, sienten afinidad y empatía con todo lo que existe.

Poseen dentro de sí la conciencia de cambio, abundancia y atemporalidad. Son abiertos, aunque tienen una parte muy profunda dentro de sí mismos que no todo el mundo conoce ni llega a conocer jamás.

Oración a Hunab Ku

«Hunab Ku, origen de todas las cosas.
Que se origine en mí siempre la vida en abundancia, que tu presencia sea mi sombra,
que tu luz sea mi destino,
que pueda decir In Lakesh,
yo soy otro tú.»

GUILLERMO FERRARA

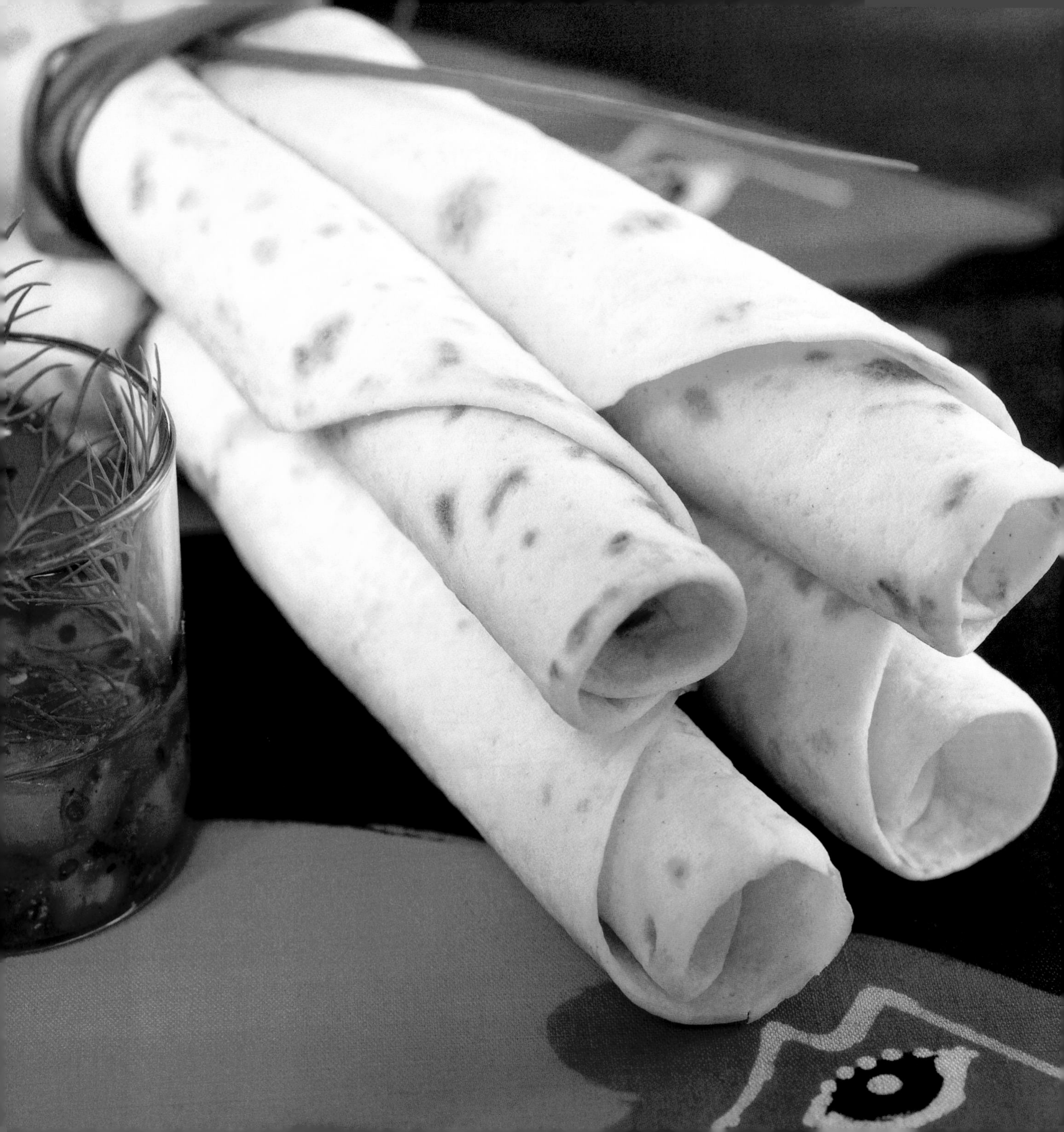

Universo circular

Tortillas mexicanas

para 12 unidades, aproximadamente

2 tazas de harina de trigo
1/2 taza de agua

1. Pon en un bol la harina y agrega poco a poco el agua hasta formar una masa flexible para enrollarla en forma de pelota.
   Es muy importante que amases bien porque es lo que va a permitir que la tortilla se infle y se cocine bien.
   Deja reposar 10 minutos a temperatura ambiente.
2. Prepara 12 bolitas, deja reposar y cúbrelas con una tela otros 5 minutos. Enharina la mesa de trabajo y aplana cada bola hasta que quede muy fina (unos 3 mm de grosor).
   Añade más harina si es necesario. Y si utilizas un plástico sobre la mesa de trabajo y lo enharinas y encima colocas la bolita con otro plástico y aplanas sobre él, te resultará más fácil manipular la tortilla, ya que al ser tan finas suelen romperse.
3. Calienta una sartén sin ponerle mantequilla. Cocina las tortillas 1 minuto de un lado y dales la vuelta del otro. Cuando empiece a inflarse puedes volver a voltear. Continúa cocinando durante un par de minutos más. Conviene que la consistencia de la tortilla sea flexible, así que no la dores ni tuestes. Por útlimo guárdalas en una tela para que el calor se mantenga.
   Trata de servirlas calientes o tibias.

   Importante: no le pongáis sal a la masa porque los complementos ya son picantes.

Riqueza interna

Perlas de guayaba

1 kg de guayabas
3/4 de kg de azúcar
5 cucharadas de agua

1. Lava las guayabas, quita la punta negra, pártelas por la mitad, saca los corazones y reserva.
2. Corta la pulpa en 4 partes y pon en la olla o el cazo junto con el azúcar a fuego medio, removiendo constantemente. Pasa los corazones por la licuadora con el agua para quitar los huesos. Lo que suelten cuélalo e incorpora a la olla. Deja resecar y apaga el fuego.
3. Al día siguiente, prepara bolitas pequeñas con la pulpa y, si las prefieres más dulces, rebózalas en azúcar o miel.

Causa y efecto

Frijoles

1 taza de frijoles cocidos
1/3 de taza de agua o del caldo en que se cocieron los frijoles
1/4 de taza de aceite
4 tortillas de maíz
2 tazas de queso fresco o manchego
3 cucharadas de cebolla picada
1 chile
1/2 taza de crema para bañarlas

1. Pon el aceite a calentar, agrega los frijoles y machácalos Agrega el caldo y guísalo. Introduce una tortilla de maíz en los frijoles y deja 10 segundos, voltea y deja otros 10 segundos.
2. Saca y rellena con queso, cebolla y chile (si se quiere) y haz un rollito. Hazlo así con el resto de las tortillas.
Sirve en pareja, calientes, y añade de nuevo queso por encima y un poco de crema.

Origen divino

Tamales de espinaca con queso

1 cucharada de aceite
1/2 kg de masa de maíz
1 manojo grande, o una bola
de espinacas picadas finamente
100 g. de margarina
200 g. de queso adobera
1 cucharadita de royal
2 tomates finamente picados
1 cebolla chica, finamente picada
150 g.de crema para bañar
los tamales
10 hojas de tamal (remojadas y
escurridas), o papel de aluminio
para envolver los tamales
sal y pimienta al gusto

1. Fríe la cebolla en el aceite, añade el tomate y las espinacas, sazona con la sal y la pimienta. Deja enfriar.
2. Amasa la masa de maíz a mano o con una batidora. Agrega la margarina, la sal y mezcla muy bien. Añade la levadura y el queso, sigue batiendo e incorpora las espinacas guisadas y revisa la sal.
3. A los cuadros de papel aluminio, o a las tradicionales hojas de maíz para hacer tamales, ponle 3 cucharadas de la masa preparada y dobla los lados hacia el centro, y la parte inferior hacia arriba.
Cocina en una vaporera durante 1 hora y media aproximadamente.

Sírvelas calientes, bañadas en salsa de tomate y crema. Se acompañan con frijoles guisados.

Cielo y tierra

Cóctel de champiñones

300 g de champiñones
1 tomate grande picado en
cuadritos
1/2 cebolla finamente picada
1/2 taza de puré de tomate
jugo de 2 limones
1 cucharada de salsa de soja
1 chile picante, fresco y picado
en cuadritos
1 cucharadita de consomé de pollo
2 ramitas de cilantro, lavado
y picado
sal al gusto

1. Lava los champiñones, córtalos en rodajitas y cuécelos ligeramente en una olla con 1 taza de agua hirviendo.
2. Añade el consomé de pollo y deja enfriar. En un tazón grande mezcla todos los ingredientes.

Sírvelo como entrada en copas o flaneras. Puede acompañarse con galletas saladas: es delicioso.

Sabor de vida

Enchiladas picantes

1 taza de aceite
1/2 kg de tortillas de maíz finitas
1 diente de ajo
3 chiles picantes sin semilla
ni cabeza, cocidos
1/2 taza de vinagre
1 taza de queso fresco
1 cebolla grande, finamente picada
4 tomates pequeños, cocidos
1/2 lechuga finamente cortada
4 rábanos
sal al gusto
1 cucharadita de orégano.

1. Muele los chiles cocidos con un poco de sal, ajo y vinagre. Pásalos por un colador y colócalos en un recipiente hondo. Muele los tomates con el orégano y sal al gusto. Pon a calentar el aceite en una cacerola grande.
2. Pasa las tortillas por el chile molido y fríelas una a una.
3. Rellénalas con queso y un poco de cebolla, enrollando para servir. Sírvelas calientes con lechuga, rábanos y la salsa por encima.

In Lakesh: yo soy otro tú

Lasaña vegetal

2 calabacines grandes
1 cebolleta
2 zanahorias
1 pimiento rojo
aceite de oliva
pimienta

Para la bechamel
1 cucharada de aceite de oliva
1 cucharada de harina
caldo de verduras
sal.

1. Corta el calabacín en rodajas transversales, lo más finas posibles. Con el resto de las verduras el corte será al gusto, pero es interesante que cada una tenga una forma y un grosor.
2. En una fuente de horno untada en aceite de oliva alterna una capa de calabacines con otra de verdura. Queda mucho mejor si las verduras van por capas separadas: la cebolla en una, el pimiento en otra, la zanahoria en otra.
3. Salpimienta levemente cada capa en el momento de ser montada. Es conveniente que cada dos capas añadas unas gotitas de aceite de oliva para dar sabor.
   Introduce en el horno a fuego medio. El tiempo depende del grosor de la lasaña y de las capas en sí (por eso es conveniente que esté todo bien finito), pero seguramente será más de 1/2 hora.
4. Mientras se cocina, prepara una bechamel poniendo en la sartén el aceite de oliva y tostando la harina. Añade poco a poco el caldo de verduras y rectifica de sal. Es conveniente que añadas una pequeña cantidad de caldo, remueve y añade más caldo. La cantidad de caldo es opcional, según lo espesa que desees la bechamel. Cuando la lasaña esté lista, vierte la bechamel por encima.

5. Divinidades universales

Recetas de Buda

«Inspiración de los hombres, descubriste a la divinidad dentro de ti mismo, por tu gracia y enseñanza te venero con alimentos sanos para cuidar el cuerpo, la mente y energetizar el espíritu hacia la iluminación.»

Simbolismo e historia de Buda

Nombre

El término Buda (Buddha) designa al *Ser Iluminado,* su nombre de nacimiento era Siddharta Gautama Sakyamuni. Buda no era un dios abstracto, ni un enviado, ni un profeta. Fue un hombre, un príncipe, un ser humano, que a través de su búsqueda espiritual, meditación y esfuerzo con perseverancia consiguió liberarse del sufrimiento de forma definitiva, consiguió la felicidad absoluta y una comprensión total de la realidad. Realidad que está más alla de todo concepto divino y humano: lo que llamó *Nirvana.* Buda viene de la raíz *bud* que significa «despierto» o «iluminado», así como Cristo significa «ungido». No es un nombre propio, ya que significa un título y un reconocimiento por haber alcanzado un estado de desarrollo espiritual.

Origen

Era hijo del rey Suddhodana, gobernante del reino de los Sakyas (situado en el actual Nepal), y de la reina Maya. Cuando nació le profetizaron al padre el destino espiritual de su hijo. Pero éste, según cuenta la tradición, intentó apartar al muchacho de la vida espiritual y le casó a los 16 años con su prima Yasodhara. Tuvieron un hijo llamado Rahula.

El príncipe Siddharta percibió dolor y sufrimiento humanos fuera de palacio, e, impulsado por el ascetismo, abandonó su familia y bienes en búsqueda de la Verdad. Se retiró a la selva para meditar dirigido por dos brahmanes y, tras soportar duras pruebas, alcanzó las llamadas Cuatro Nobles Verdades (la realidad del mundo es dolor; el origen del dolor es el deseo; la liberación del dolor se puede alcanzar mediante el nirvana o extinción del dolor; el camino para el nirvana es el *dharma*, o camino espiritual).

Desde ese momento quiso hacer partícipe a la humanidad de su experiencia e inició una intensa labor de predicación de su doctrina, caracterizada por la serenidad. Vivió hace 2.500 años. Se dice que nació en Kapilavastu el 563 a.C. y dejó el cuerpo en Kusinara el 483 a.C

Amantes

Antes de su iluminación tuvo a Yasodhara como esposa.

Mitos y leyendas

El joven príncipe sentía una fuerte espiritualidad, conocida por su padre, ya que fue aislado en palacio y rodeado de todos los lujos posibles para evitar que le llegaran los problemas y sufrimientos normales de la humanidad. Sin embargo diversas situaciones hicieron que Sidharta contemplase directamente la pobreza, la enfermedad, la extrema vejez y la muerte.

Profundamente afectado por la visión de esos males (quizá su lujoso aislamiento hizo aún más fuerte la impresión), decidió hallar la causa y la solución a estos males aparentemente irremediables, por lo que pensó en buscar las enseñanzas adecuadas.

Así fue como decidió abandonar su futuro reino, su mujer y su hijo en busca de un antídoto para el mal. Practicó la meditación y el ascetismo durante seis años, tal como le indicaron los distintos maestros que fue encontrando. Tan débil y esquelético llegó a estar que, según cuentan crónicas posteriores, apenas podía sostenerse en pie con todas sus costillas cubiertas por un ligero manto de carne. Sin embargo, el antídoto al sufrimiento se le hacía esquivo y no hallaba nada concluyente en su búsqueda infatigable.

En cierto momento, una aldeana se apiadó del esquelético y maloliente asceta y le ofreció unas gotas de leche. Sidharta, que ya había reflexionado sobre las consecuencias inútiles de tan extrema privación, aceptó esas pocas gotas; y con energía renovada se sentó a los pies de un árbol con la firme decisión de encontrar, de una vez por todas, la pieza que faltaba en el rompecabezas cósmico.

Allí se dice que descubrió el camino medio al decir: *«las cuerdas de una guitarra no deben dejarse muy flojas porque no suenan, ni ajustarse mucho porque se cortan. El camino es el del medio»*. Así fue como Sidharta se sentó a meditar al pie del árbol (desde entonces conocido como el árbol Bodhi, o árbol de la sabiduría), a orillas del río Neranjara, en Buda Gaya (en el actual Bihar), cuando contaba ya 35 años. Tras muchos días y noches, donde fue sometido a toda clase de tentaciones y depresiones, alcanzó la iluminación y con ella la transformación. Cuando se sentó a meditar era Siddharta; al iluminarse y levantarse era el Buda.

Después de esa experiencia crucial dudó sobre qué hacer y, según la leyenda, los dioses del cielo le pidieron que no se quedara para sí esa experiencia, sino que la compartiera con los demás hombres.

Así fue como en el Parque de las Gacelas, en Isipatana (la actual Sarnath), el Buda se encontró nuevamente con los cinco ascetas que habían compartido con él parte de su búsqueda. Al principio, se negaron a escucharle, convencidos de que aceptar alimento (aquellas gotas de leche) había sido una claudicación.

No obstante, la serenidad y confianza del Buda se impuso y escucharon el primer sermón. De esta manera, según la leyenda, empezó a girar la rueda de la ley: las cuatro nobles verdades que caracterizan al budismo con una identidad propia. Así fue como nació la Sangha. La Sangha, o inicio del budismo, es la consecuencia de la prédica del Buda.

Atributos

Y nacieron el mito y las leyendas.

Él abandona el reino celestial y desciende al reino humano como un hombre, penetra en la matriz, nace, se adiestra en las artes y logra dominarlas, goza del mundo (disfruta de los placeres sensoriales), luego renuncia a ellos, practica las austeridades y se pone a meditar todo el día. Llega junto al árbol *Bodhi* (se aleja de los extremos de ideas eternalistas y nihilistas), vence a los *Maras* (emociones conflictivas), manifiesta el despertar espiritual (iluminación), y comienza a impartir la enseñanza (hace girar la rueda del Dharma), trasciende el sufrimiento y por último en su muerte retorna al Paranirvana, la iluminación total.

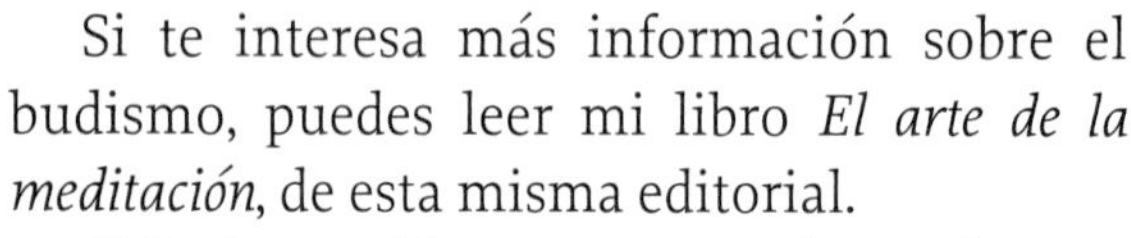

Si te interesa más información sobre el budismo, puedes leer mi libro *El arte de la meditación*, de esta misma editorial.

El Buda murió en Kusinara (el actual Uttar Pradesh), a los 80 años, rodeado de una multitud de discípulos. Según los textos budistas, sus últimas palabras fueron: «*todas las cosas son perecederas. Esforzaos por vuestra salvación*».

Buda ha hablado y enseñado muchísimo, aquí tienes un breve sutra de la enseñanza sobre el amor:

«El que desea penetrar el Estado de Paz
(Nirvana) y persigue su propio bienestar
debería ser capaz, recto, muy recto, obediente,
apacible y sin vanidad.

Debería estar satisfecho, ser fácil de mantener,
tener pocas actividades y pocas posesiones,
controlado en sus sentidos, prudente,
sin desvergüenza y sin apego a familias.

No debería cometer la más mínima falta que pudiera ser objeto de censura por parte de los sabios.

Que todos los seres estén felices y seguros.
Que estén felices en sus corazones.
Que todos los seres que existen, débiles
o fuertes, largos o grandes, medianos o bajos,
pequeños o gruesos, conocidos o desconocidos,
cercanos o lejanos, nacidos o por nacer,
que todos los seres sin excepción sean felices.

Que nadie engañe ni desprecie al otro
en ningún lugar; que no desee el sufrimiento
del otro con provocación o enemistad.

Así como una madre protege a propio hijo,
su único hijo, a costa de su propia vida,
de la misma forma uno debería cultivar
un corazón sin límites hacia todos los seres.

Que sus pensamientos de amor llenen todo
el mundo, arriba, abajo y a lo largo;
sin diferencias, sin malicia, sin odio.

De pie, caminando, sentado o acostado,
mientras despierto uno debería cultivar
esta meditación de amor. Ésta, ellos dicen,
es la mejor conducta en este mundo.

Sin caer en opiniones erróneas,
virtuoso y dotado de visión,
uno elimina el apego a los sentidos
y realmente no viene de nuevo al vientre.»

Arquetipo

El arquetipo de persona que sintoniza con Buda es el de alguien de rica vida interior. Son personas de tendencia espiritual que escuchan su voz interna y que, en vez de mostrarse tercos o rígidos, son sabios y compasivos.

El arquetipo Buda despierta a la realidad de la vida y no se deja engañar por dobles discursos ilusiones o temores. Es el de una persona sensible, valiente, meditativa y amigable.

Posee riqueza interna, ama la soledad y se nutre a sí misma. Se trabajan por dentro y perciben como prioritario el desarrollo espiritual ante cuaalquier otro aspecto de la vida.

Oración a Buda

«Buda, el dios que se descubrió a sí mismo.
Ojalá que tu perfume toque mi alma
y tus palabras guíen mis actos,
que tu ejemplo de constancia fortalezca mi temple,
y el augurio del Nirvana esté siempre frente
a mis ojos.»

GUILLERMO FERRARA

Venciendo las ilusiones

Crema roja

75 g de fresones
1/2 yogur
3 cucharadas de leche
1 cucharadita de limón
nata montada
miel

1. Quita el rabito de los fresones y lávalos bajo un chorro de agua templada. Reserva un par de ellos troceados. El resto pásalos por la batidora. Ahora, agrega el yogur, la leche y el azúcar, y bate de nuevo.
2. Coloca la crema en las copas en las que la servirás. Reserva en la nevera durante 2 horas como mínimo. Antes de servir, añade un poco de nata montada y los 2 fresones troceados que te han sobrado.

Emoción

Manzanas al elixir dulce del deseo

2 manzanas grandes
150 g de moras
1 cucharada de miel
1 cucharada de mantequilla
1/2 limón
1/2 cucharadita de canela
1 cucharada de azúcar moreno

1. Se lavan las moras bajo un chorro suave de agua templada. Mézclalas con la miel y déjalas macerar durante 2 horas.
2. Pela y corta las manzanas en rodajas finas. Colócalas en una fuente de barro refractaria untada con mantequilla. Reparte las moras sobre las manzanas y vierte el zumo resultante de la maceración.
3. Agrega la canela, el zumo de limón y el azúcar. Hornea durante 45 minutos a temperatura media.

Energía cósmica

Desayuno de Buda

1 vaso de leche de soja
1 cucharada de germen de trigo
2 cucharadas de muesli (cereales integrales)
30 g de nueces o almendras

1. Mezcla 1 vaso de leche de soja y 1 cucharada sopera de germen de trigo, 2 cucharadas de muesli (cereales integrales) y 30 g de nueces o almendras picadas.

El camino medio

Higos embriagados del Nirvana

4 higos frescos y maduros
1/2 taza de nata líquida
1/2 taza de nata montada
1 copa de licor de menta
1 cucharada de azúcar moreno
1 ramita de menta fresca

1. Mezcla el licor de menta con el azúcar, la nata líquida y la nata montada. Reserva en la nevera durante 2 horas como mínimo. Luego, lava los higos y córtalos por la mitad. Reparte la crema en las copas y esparce la menta fresca picada. Añade los higos.

Pureza búdica

Arroz integral con coco y soja

1/2 kg de arroz integral
50 g de coco rallado
pimienta
salsa de soja

1. Hierve el arroz.
2. Prepara un poco de ghee o mantequilla derretida (se explica en algún lugar de qué va éso?). Una vez hervido ,añádele el ghee y aromatiza con la pimienta y un poco de salsa de soja.
   Espolvorea con coco rallado.
   Para beber se recomienda té verde.
   Los platos de arroz pueden condimentarse con gomasio (preparación de granos de sésamo tostado y triturados y sal marina fina)

15 dátiles
200 g de requesón
150 g de pistachos
miel
canela

Manjar divino

Dátiles rellenos de requesón y miel

Abre los dátiles, introduce el requesón y coloca un pistacho encima. Rocía con miel y un poquito de canela.

Meditación

Dátiles rellenos de mermelada de naranja

15 dátiles
100 g de mermelada de naranja
ralladura de chocolate amargo

1. Abre con un cuchillo los dátiles, introduce 1 cucharadita de mermelada de naranja y espolvorea con la ralladura de chocolate amargo. También puedes poner el chocolate al baño María y una vez disuelto rociar los dátiles por encima.

«Mejor que un «filtro de amor»

Elixir vital

1 cucharada de semillas de sésamo
1/4 de l de agua de manantial
1 cucharada de semillas de girasol
30 g de brotes germinados de alfalfa (en dietéticas y buenas tiendas de verdura fresca)
55 cc de vino de ginseng (en herbodietéticas pueden encontrarse similares)
2 cucharaditas de miel

1. Se combinan en una batidora los brotes de alfalfa y las semillas de sésamo y girasol. se pone la mezcla en un cazo con el agua y se lleva suavemente a ebullición.
2. Tapadlo, dejándolo cocer a fuego lento durante 30 minutos.
3. Añadid el vino de ginseng (puede ser en extracto) y la miel.

Recetas de Jesús

«Al Jesús que se iluminó espiritualmente y que dejó un mensaje de unión con lo divino sin necesidad de intermediarios. Para ti que has impulsado la apertura del corazón más que cualquier cosa en el mundo, te ofrezco con alegría, sonrisas y sin sufrimiento, estos alimentos».

Simbolismo e historia de Jesús

Nombre

El nombre Jesús significa «el ungido».

Origen

Su madre fue María y su padre José.

Amantes

Existen muchas investigaciones que reconocen a María de Magdala como su compañera.

Mitos y leyendas

En la eucaristía, la transformación del pan en cuerpo y sangre de Cristo no es simbólica, sino *real*. El propio Jesús lo explica en el evangelio más elaborado teológicamente de todos, el de San Juan.

La escena es como sigue: Jesús había dado de comer a la multitud multiplicando los panes, entonces le dice a la multitud que busquen el pan de vida eterna. «Entonces le preguntaron: «¿Qué tenemos que hacer para trabajar en las obras de Dios?»

Jesús respondió: «La obra de Dios es ésta: creer en aquel que Dios ha enviado.» Le dijeron: «¿Qué puedes hacer? ¿Qué señal milagrosa haces tú, para que la veamos y creamos en ti? ¿Cuál es tu obra? Nuestros antepasados comieron el ma-ná en el desierto, según dice la Escritura, se les dio a comer pan del cielo.»

Jesús contestó: «En verdad os digo: No fue Moisés quien les dio el pan del cielo. Es mi Padre el que les da el verdadero pan del cielo. El pan que Dios da es aquel que baja del cielo y que da vida al mundo.»

Ellos dijeron: «Señor, danos siempre de ese pan.» (Jn 6, 28-34)

Ante esa petición, Jesús les dijo: «Yo soy el pan de vida. El que viene a mí nunca tendrá hambre y el que cree en mí nunca tendrá sed. « (Jn 6, 35). A sus oyentes les cuesta trabajo entender, pero Jesús no se detiene ahí. Les ordena comer el pan bajado del cielo.

«Yo soy el pan de vida. Los antepasados comieron el maná en el desierto, pero murieron: aquí tienen el pan que baja del cielo, para que lo comáis y ya no muráis más. Soy el pan vivo que ha bajado del cielo. El que coma de este pan vivirá para siempre. El pan que yo daré es mi carne, y lo daré para la vida del mundo.» Los judíos discutían entre sí: «¿Cómo pue-de éste darnos a comer carne?»

Jesús les dijo: «En verdad os digo que si no coméis la carne del Hijo del Hombre y no bebéis su sangre, no tenéis vida. El que come mi carne y bebe mi sangre vive de vida eterna, y yo lo resucitaré el último día. Mi carne es verdadera comida y mi sangre es verdadera bebida. El que come mi carne y bebe mi sangre permanece en mí y yo en él. Como el Padre, que es vida, me envió y yo vivo por el Padre, así quien me come vivirá por mí. Este es el pan que ha bajado del cielo. Pero no el de vuestros antepasados, que comieron y murieron. El que coma este pan vivirá para siempre. « (Jn 6, 48-58)

Atributos

Son muchos e incontables los atributos que conocemos de Jesús de acuerdo a lo escrito en la Biblia: dar la vista a un ciego, hacer caminar a los cojos, resucitar a los muertos, convertir el agua en vino, caminar por las aguas, su propia resurrección...

Arquetipo

El arquetipo de personalidad vinculada con Jesús (y no por ello hace falta ser cristiano) es el de una persona compasiva, inteligente, amable y que puede reaccionar violentamente ante una injusticia (recordad lo que se cuenta que pasó en el templo de los mercaderes cuando apaleó violentamente a los vendedores).

Alguien ocupado en los demás (cuando descubres primero en ti el estado de unidad) y en la evolución de todos los seres. El arquetipo de Jesús es el de una persona astuta con las respuestas y los secretos de la vida. Quien se inclina a sentir espiritualmente que lo divino está en cada uno y señala el camino directo al corazón quitando todos los demonios personales como el miedo, el sufrimiento, la tristeza, la pena y el dolor.

Un arquetipo de Jesús es revolucionario ante la injusticia y lo que no es espiritual, aunque de forma amable y despierta.

Oración a Jesús:

«Jesús, el iluminado que se hizo uno con Dios.
Pueda yo verte como realmente fuiste,
sin las máscaras de ningún intermediario,
y que desde tu corazón al mío sea un puente directo,
y escuche tu voz y tus consejos en el templo de la vida.
Que nada enturbie mi visión espiritual
y que el fuego de mi alma se eleve hasta tu lado.»

GUILLERMO FERRARA

Recetas de pan, pescado y cordero

Elevación del espíritu

Pan judío: Challá

400 g. de harina de trigo para repostería
50 g. de mantequilla reblandecida (pero no líquida)
15 g. de levadura fresca
1 cucharada de azúcar
1 cucharadita de sal fina
2 huevos, separadas las claras de las yemas
2 cucharadas de semillas de amapola
3 cucharadas de agua

1. Mezcla en un bol el agua, el azúcar y la levadura fresca; cubre y deja fermentar hasta que aparezcan burbujas en la superficie. Tamiza la harina y la sal en un bol grande y haz un hueco en el centro para verter en él la mezcla de la levadura. Añade también la mantequilla y las yemas de los huevos (reservando las claras), además de 1 tacita extra de agua. Amasa uniformemente con una espátula hasta que se forme una bola blanda pero no pegajosa (añade un poco más de harina o de agua si es necesario, pero poco a poco).
2. Trabaja la masa sobre una superficie limpia y enharinada, hasta que quede lisa y resistente. Guárdala en un bol ligeramente aceitado (con un aceite de bajo sabor, como el de girasol o maíz), a temperatura ambiente, hasta que doble su volumen.
3. Cuando la masa haya levado lo suficiente, vuelve a amasarla un rato más (5 minutos). Tápala con un paño limpio y húmedo y deja reposar otros 5 minutos. Después, divide la masa en 3 porciones iguales y haz con ellas barritas de unos 30 cm de largo. Trenza las 3 barritas de masa, sellando con fuerza ambas puntas, para que no se abran durante la coción. Pasa la trenza a una bandeja engrasada con mantequilla y cubre nuevamente con el paño húmedo hasta que vuelva a doblar su tamaño.
4. Precalienta el horno a 220 °C. Mezcla las claras con 1 cucharada de agua y, con ayuda de una brocha limpia, pinta toda la superficie del pan. Introdúcelo al horno y cocínalo durante 10 minutos. Transcurrido ese tiempo, saca del horno el pan y vuelve a brochearlo con la clara batida, salpica con las semillas y devuélvelo al horno cubierto con papel de aluminio, para que acabe de cocerse (unos 30 minutos).
   Cuando la base del pan suene a hueco al golpearla, el pan estará listo.

Evolución

Matzo: pan sin levadura

270 g de harina normal
180 g de sémola fina
1 y 1/2 cucharadita s de sal
1 vaso de agua natural más 3 cucharadas de agua tibia
sésamo tostado

1. Unos 40 minutos antes de empezar la cocción calentar el horno a 130° . Mezcla las harinas y la sal en un cuenco, añade el agua poco a poco hasta formar una masa blanda, haz una bola y pasa a la mesa enharinada. Amasa 1 minuto.
2. La masa debe tener una consistencia firme, elástica y no pegajosa. Divide la masa en 12 bolas de unos 50g cada una y cúbrelas con un paño húmedo.
3. Presiona la primera hasta convertirla en un disco de 10 cm, pásale un rodillo para dejconvertirla en un círculo de unos 23 cm, no importa que salga perfecto, lo que tiene es que ser delgadísimo, que se vea la mano a través.
4. Cuando estén casi listas, añade 1 cucharada de sésamo tostado y vuelve a pasar el rodillo para fijarlo.
5. Introduce en el horno y deja cocer 3 minutos aproximadamente, hasta que empiecen a estar doradas, dales la vuelta con una pinza y dora unos minutos más por el otro lado.

De acuerdo a la tradición, cuando los israelitas huían del Antiguo Egipto, no hubo tiempo para que el pan levara, y el resultado fue este alimento. El pan ácimo es el pan que se elabora sin levadura. Su masa es una mezcla de harina de algún cereal con agua, a la que se le puede añadir sal. A esta masa se la da la forma deseada antes de someterla a temperatura alta para cocinarla. La harina utilizada generalmente es de trigo, cebada, maíz y otros cereales. Durante mucho tiempo, el pan ácimo fue el único que conocía la humanidad. Se preparaba con harina sin refinar, es decir integral, y se cocinaba poniendo la masa sobre piedras o cenizas calientes. Posteriormente, el pan ácimo fue evolucionando hasta convertirse en muchas de las variedades de pan que conocemos hoy en día, como la pitta o la chapatta. Esa evolución se dio gracias a que se inventaron los hornos, se trabajó la levadura, las harinas comenzaron a ser refinadas y se incorporaron al pan nuevos añadidos como aceites, mantequillas, especias, etc.

Pan casero

Para elaborar 1 kg de pan
750 g de harina 0000
30 g de levadura de panadero
1/2 cucharada de sal
2 tazas de agua tibia
una pizca de azúcar

1. Empieza tamizando la harina y la sal dentro de un recipiente hondo. Si has decidido utilizar un poco de azúcar, mézclalo con la levadura y acaba de mezclarlo con el agua tibia e incorpóralo sobre la harina. Mezcla hasta que consigas una pasta que sea firme y pegajosa. Prepara la superficie de trabajo, por ejemplo la encimera, y enharínala. Dispón sobre ella la masa y empieza a amasarla hasta que veas que se queda elástica y brillante. Cuando veas que la masa ya esté a punto, forma una bola y colócala en el recipiente hondo que utilizaste.
2. Cúbrela con papel film transparente y deja reposar hasta que veas que dobla su volumen (dependiendo de la temperatura y la humedad, tardará entre 1 y 2 horas). Ahora comprobarás si la masa ya está a punto: presiona con un dedo la masa y si tu huella se mantiene unos instantes, ya está lista. Entonces, vuélvela a amasar y forma una bola que cubrirás con un trapo, dejándola reposar unos 15 minutos más. Evita corrientes de aire y no apoyes la masa en una mesa fría.
3. Pasado este tiempo, vuelve a formar la bola y tapa de nuevo con el trapo. Deja que fermente hasta que nuevamente vuelva a duplicar su volumen, aproximadamente 1 hora. Ahora ya puedes preparar el pan para el horneado. Dale la forma deseada y hazle unas cuantas incisiones en la superficie, a tu gusto. El horno deberá estar precalentado a 220° C y deberás poner un recipiente con agua para darle humedad.
4. Introduce el pan. Al cabo de 20 minutos, saca el agua y déjalo hornear 15 minutos más. Entonces reduce también la temperatura a 190° C y mantenla durante el resto de cocción. Si quieres elaborar un pan un poco más rústico, sustituye una parte de harina blanca por otro tipo de harina como la de centeno, harina de cebada, harina integral, etc.
   Y si puedes hacerlo en un horno de leña, mucho mejor.

Los ingredientes del pan son sencillos, basta con mezclar harina, levadura, agua y sal. Seguro que más de una vez has pensado en hacer pan; pues bien, aquí tienes la receta más fácil. Enfría en una rejilla y guarda en un recipiente hermético para que se conserven varios días. Queda un pan con burbujas y bolsas de aire, irregular y muy crujiente. Esta masa, sin dejarla tan delgada, sirve para bases de pizza.

Todos somos uno

Bacalao con judías y garbanzos

1/2 kg de bacalao desalado
y a trozos.
200 g. de garbanzos
200 g de judías
1/2 l de vino blanco
9 avellanas tostadas
1 pastilla de caldo
1 cebolla
2 dientes de ajo
1 rebanada de pan frito
aceite, azafrán, perejil y sal.

1. Tritura las avellanas y mézclalas con la rebanada de pan frito en el mortero. Haz un sofrito con la cebolla y los ajos muy picados.
2. En una cazuela de barro pon el aceite, el vino y los trozos de bacalao y deja cocer tapado hasta que esté tierno. Remueve de vez en cuando.
3. Añade los garbanzos, las judías hervidas previamente y cortadas en finas tiras, el refrito, el majado del mortero, la pastilla de caldo, perejil picado y unas hebras de azafrán. Mézclalo todo y rehógalo durante unos minutos.

Con pasión

Cordero a las tres especias

350 g de paletilla de cordero
cortada en cuadrados
2 cucharadas de aceite de oliva
1 taza de agua
3 dientes de ajo
1/2 cucharadita de sal de hierbas
75 g de lentejas
2 tallos de apio
1/2 cucharadita de tomillo
1/4 cucharadita de romero
1 vaso de caldo
un poco de hierbabuena fresca
1 tacita de yogur de cabra

1. Empieza dorando el cordero en el aceite de oliva. Luego, añade un diente de ajo picado y la sal de hierbas.
2. Agrega el agua y cuece a fuego medio para que la carne se ponga tierna. Aparte, cuece en el caldo las lentejas, el apio picado, el resto del ajo picado y las hierbas. Incorpora esta mezcla al cordero y deja cocer a fuego lento durante 25 minutos.
   Sírvelo caliente mezclado con el yogur y la hierbabuena.

Círculo de gloria

Rosco de Pascua

30 g de levadura
1/2 lata de leche condensada
1 huevo
300 g de harina común
50 g de manteca derretida
ralladura de cáscara de limón
1 cucharadita de esencia de vainilla

Para la crema:
2 yemas
1/2 lata de leche condensada
2 cucharadas de fécula de maíz
1 vaso de agua
1 chorrito de esencia de vainilla
azúcar molido, nueces o almendras picadas

Elaborando la masa:

1. Disuelve la levadura en agua tibia con una pizca de azúcar. Agrega la leche condensada, el huevo, la manteca, la ralladura de limón y la esencia de vainilla. Bate durante 5 minutos.
2. Agrega la harina y forma la masa. Trabaja con los dedos amasando el bollo. Deja descansar la preparación en un bol, tapa la superficie con un nylon, durante 1 hora en lugar cálido.
3. Pasado este tiempo, toma la masa y ahueca el centro con la mano, coloca en el centro un cortante redondo enmantecado y enharinado y deja levar durante 2 horas más, en una placa enmantecada y enharinada.

Elaborando la crema:

1. Mezcla las yemas con la leche condensada, la fécula de maíz y el agua. Lleva al fuego lento revolviendo contínuamente. Cuando comience a hervir revuelve más rápidamente y apaga el fuego.
2. Sigue revolviendo hasta que la preparación se enfríe y agrega la esencia de vainilla, mezcla y distribuye la crema sobre la rosca.
3. Pinta la masa y la crema pastelera con el huevo batido, espolvorea con azúcar molida y las almendras o nueces y lleva a horno moderado durante 30 minutos.

Corazón abierto

Arroz con leche

3 l de leche
3 vasos de azúcar
1 vaso de arroz
corteza de limón
canela en polvo y en palo

1. Incorpora en una cazuela la leche, el azúcar, el arroz, la corteza de limón y la canela en palo hirviéndolo todo y removiendo contínuamente.
2. Cuando el arroz esté hecho, preséntalo en una fuente, adornado con la canela en polvo y unas cortezas de limón.

Apéndice: alimentos que mejoran tu vida sexual

Nuestra vida sexual depende de muchos factores, desde el equilibrio de nuestras **hormonas sexuales** hasta el **estado de ánimo** o posibles problemas de **salud**, por citar tres de los ámbitos implicados más importantes.

La **alimentación** es otro de los aspectos destacados para mejorar la salud sexual, tanto por los alimentos que ingerimos, como porque unas adecuadas pautas alimenticias nos predisponen para disfrutar más y mejor del sexo. No es aconsejable, por ejemplo, comer en exceso o saltarnos alguna comida: sólo conseguiríamos sentirnos más fatigados y menos *animados* sexualmente.

A lo largo del libro presentamos numerosas recetas afrodisíacas que ayudan a disfrutar al máximo del sexo en general. En este capítulo descubriremos los alimentos —algunos bien conocidos, otros no tanto— que, por los nutrientes, minerales y vitaminas que contienen, son los mejores aliados para que la vida sexual sea sana y satisfactoria.

Gambas y langostinos

Calcio, yodo, magnesio, selenio, zinc.

Como todo el marisco, las gambas y los langostinos contienen zinc, magnesio, calcio, yodo y selenio en abundancia. También son ricos en el aminoácido *fenilalanina* (uno de los aminoácidos comunes de las proteínas), vital para la producción de los neurotransmisores cerebrales que regulan nuestro estado anímico y aumentan nuestro apetito sexual.

Atún

Ácidos grasos esenciales del grupo omega-3, selenio, zinc, vitamina B.

Uno de los alimentos que más ayuda a mejorar nuestra vida sexual, rico en zinc, selenio, vitaminas B12 y B3, proteínas y ácidos grasos esenciales del grupo omega-3. El consumo frecuente de atún eleva la producción de esperma y aumenta la libido y la resistencia sexual.

Trastornos sexuales más frecuentes en los hombres

La pérdida de libido en el hombre puede deberse a muchos factores, como el estrés, problemas cardiovasculares o trastornos del estado de ánimo, que afectan negativamente a la producción de testosterona, una hormona sexual presente tanto en hombre como en mujeres y que es decisiva para que la libido esté en buena forma.

La testosterona es vital para la producción de esperma, la fertilidad y la función eréctil. Un hombre en buen estado de salud produce alrededor de 7 mg de testosterona al día. En caso de que produzca menos seguramente se sentirá fatigado y sin mucho apetito sexual.
Para compensar posibles carencias de testosterona hay que consumir alimentos ricos en zinc y vitamina B6.

Por otro lado, en los últimos tiempos se ha comprobado que la inflamación de la próstata puede afectar la función eréctil. Desde un punto de vista nutricional es aconsejable no abusar de alimentos ricos en grasas saturadas (carnes rojas y lácteos, por ejemplo) y otros productos que pueden aumentar el nivel de azúcar en sangre.

El organismo necesita consumir grasas, pero es mejor optar por los ácidos grasos esenciales, como el pescado azul, los frutos secos y sus aceites, las semillas de lino y el aceite de oliva. Además, el zinc es un mineral que favorece la salud prostática.

Asimismo, los fármacos del tipo *Viagra* aumentan la irrigación sanguínea al pene y, por tanto, facilita la erección. No es de extrañar que se haya convertido en un medicamento muy consumido por millones de hombres en todo el mundo. De todas formas, no está libre de efectos secundarios y, por ejemplo, no se recomienda su uso en personas que sufren de hipertensión.

Existen alternativas naturales al *Viagra*, como el ginseng siberiano, la yerba mate, el yohimbé, la zarzaparrilla y el palmeto, indicado también para los trastornos de próstata. Pero el producto natural más equivalente al Viagra es la *arginina*, un aminoácido que se encuentra en la mayoría de proteínas de origen animal... y en las palomitas de maíz.

Caviar

Hierro, magnesio y vitamina B (colina).

El caviar, huevas de esturión frescas aderezadas con sal, es considerado una exquisitez desde tiempos remotos (en parte debido a su escasez). Contiene magnesio, hierro y *colina* (un tipo de vitamina B).

Corvina

Magnesio, ácidos grasos esenciales del tipo omega-3, selenio, zinc.

Pescado blanco muy rico en omega-3, zinc, magnesio y selenio, que ayuda a la producción de esperma y favorece el apetito sexual

Tofu

Calcio, hierro, magnesio, fito-estrógenos, vitamina A.

Este alimento, cuyas beneficiosas propiedades se conocen en Oriente desde hace cientos de años, contiene fito-estrógenos, sustancias que imitan las acciones de los estrógenos naturales. De este modo, ayuda a regular las hormonas femeninas.

En muchos países asiáticos las mujeres tienen menos complicaciones hormonales que en Occidente gracias a que consumen mucho tofu. Asimismo el tofu es rico en hierro, calcio, magnesio y vitamina A.

Trastornos sexuales más frecuentes en las mujeres

La pérdida de libido en mujeres suele deberse a un problema hormonal. El organismo de las mujeres, del mismo modo que el de los hombres, también produce testosterona, y cuando hay déficit puede haber un descenso en la libido. Este problema se puede compensar consumiendo alimentos ricos en zinc y vitamina B6. Otro problema habitual son los desequilibrios de estrógenos y progesterona, que distorsionan el periodo normal del ciclo menstrual. Hoy en día es frecuente que existan más estrógenos de los necesarios debido a factores medioambientales y dietéticos.
Otros factores, como el tabaco, el estrés y los antidepresivos también pueden afectar negativamente a la sexualidad. Y la menopausia y el parto también desequilibran el sistema hormonal femenino, lo que puede desembocar en una perdida de libido.
Para compensar este descenso existen estimulantes naturales de eficacia sobradamente demostrada, como las vitaminas A y del grupo B, la vitamina C, la vitamina E, el cromo y el boro.

Semillas de sésamo

Calcio, hierro, magnesio, ácidos grasos del grupo omega-3 y omega-6, selenio, zinc, vitamina E.

Estas semillas son indispensables en nuestra dieta para mantener y mejorar la vida sexual. Contienen selenio, zinc (que ayuda a combatir la infertilidad), calcio, hierro, magnesio, vitamina E, ácido fólico y ácidos grasos esenciales de los grupos omega-3 y omega-6.

Puedes emplear el aceite de las semillas para aliñar, aunque nunca debes calentarlo porque pierde propiedades. Recuerda que resulta casi indispensable moler suavemente las semillas para obtener los minerales esenciales que éstas poseen.

Arroz integral

Calcio, hierro, magnesio, zinc, vitamina B.

El arroz integral contiene muchos nutrientes relacionados con el despertar sexual, como zinc, hierro, magnesio, cromo, manganeso y calcio. Hay muchas maneras de cocinar este tipo de arroz (queda excelente como risotto o como acompañante de platos de carne o pescado).

Centeno

Calcio, hierro, magnesio, zinc, vitamina B y E.

El centeno contiene muchos de los minerales más directamente implicados en el buen funcionamiento de nuestra vida sexual, como hierro, magnesio, zinc, vitaminas B5 y B6 (implicadas en la regulación del estado de ánimo), calcio y vitamina E. Asimismo, sus niveles de fósforo, magnesio y silicona favorecen los niveles de energía cerebral.

Palomitas de maíz

Arginina.

Las palomitas de maíz son una fuente de arginina, un aminoácido que se encuentra en la proteína de los alimentos y, sobre todo, en las carnes. Es un aminoácido muy importante para que el esperma sea de calidad y el buen desarrollo sexual, por lo que es un alimento indispensable en la dieta de las personas vegetarianas.

Piñones

Calcio, magnesio, zinc, vitamina B.

Los frutos secos y sus semillas son indispensables fuentes de proteína para los vegetarianos. Éstos aportan bloques de construcción esenciales para el desarrollo sexual. En concreto, los piñones contienen muchos minerales, zinc y magnesio en especial, además de vitamina B y calcio. Todos ellos vitales para mantener los niveles de energía y conseguir mayor resistencia sexual.

Mango

Beta-caroteno, vitamina C.

Esta deliciosa fruta tropical es muy rica en betacaroteno, imprescindible en la producción de dos hormonas sexuales muy importantes, los estrógenos y la testosterona. También aporta grandes cantidades de vitamina C, que ayuda a que los espermatozoides no se enganchen unos a otros.

Queso

Arginina, calcio, magnesio, zinc.

El queso contiene nutrientes vitales para la vida sexual, como arginina, calcio, magnesio y zinc (sólo el marisco aporta más zinc que el queso).

Almendras

Calcio, magnesio, ácidos grasos esenciales del grupo omega-3 y omega-6, zinc, vitaminas B y E.

Este delicioso fruto seco es rico en magnesio y en uno de los esenciales ácidos grasos que regulan la prostaglandina (cada una de las sustancias fisiológicamente activas presentes en muchos tejidos, descubiertas en líquidos genitales y glándulas accesorias), vitales para la producción de hormonas sexuales. También contiene calcio, zinc, ácido fólico y vitaminas B2, B3 y E. De este modo, se convierte en un magnífico aliado para combatir problemas de infertilidad y aumentar la libido.

Huevos

Calcio, hierro, zinc, vitamina B.

Todas las clases de huevos (gallina, pato, codorniz...) aportan hierro, zinc, calcio, vitamina B y proteínas de gran calidad. Siempre son preferibles los huevos de agricultura ecológica, y que sus nutrientes se encuentran sobre todo en las yemas.

Papaya

Beta-caroteno, calcio, magnesio, vitamina C.

La papaya contiene grandes cantidades de betacaroteno y vitamina C, como el mango. Sus semillas, que también son muy nutritivas, aportan suplementos grasos esenciales que estimulan la producción de hormonas sexuales. Y también es rica en calcio y magnesio. recordemos que la carne de papaya queda muy sabrosa con zumo de lima y se pueden licuar sus semillas con el resto de la fruta.

Moras y frambuesas

Beta-caroteno, calcio, magnesio, vitaminas C y E.

Estas frutas, tan pequeñas como deliciosas, con una importante fuente de vitamina C y vitamina E, nutrientes fundamentales para aumentar el deseo y el apetito sexual y que, además, ayudan a mantener la piel tersa.

Tanto las moras como las frambuesas son ricas en calcio, magnesio y beta-caroteno.

Ciruelas

Calcio, hierro.

Las ciruelas son muy ricas en hierro y calcio y, además, aportan fito-estrógenos, por lo que ayudan a equilibrar el sistema hormonal de las mujeres. También favorecen la digestión.

Fresas

Beta-caroteno, calcio, hierro, magnesio, vitaminas C y E.

Esta fruta, que podemos comer como postre, en ensalada o en batido, posee nutrientes que ayudan a fortalecer nuestra vida sexual, como vitamina C, hierro (fácilmente absorbible por el cuerpo gracias a la presencia de la vitamina C), beta-caroteno, ácido fólico, vitamina E, calcio y magnesio.

Plátanos

Beta-caroteno, magnesio, triptófano, vitamina C.

En muchas ocasiones, el descenso de la libido se debe a problemas en el estado de ánimo, como cambios de humor o depresión. La carne del plátano que está en contacto con la piel contiene un alcaloide denominado bufotenina, que afecta al equilibrio de los neurotransmisores cerebrales, elevando nuestro estado de ánimo, autoestima y nuestro propio sentido de la seguridad. De este modo, el plátano contribuye a una vida sexual más sana. Asimismo, los plátanos son muy ricos en beta-caroteno y vitamina C.

Higos

Beta-caroteno, calcio, vitamina C.

Los higos son una de las frutas con más fama de afrodisíaca. Su alto contenido en beta-caroteno asegura la producción regular de hormonas sexuales en el cuerpo humano.

También son una magnífica fuente de vitamina C, por lo que ayudan a incrementar la libido y a reducir el estrés. Además, los higos son una buenísima fuente de calcio.

Aguacate

Beta-caroteno, ácidos grasos esenciales, hierro, vitaminas B y E.

El aguacate contiene vitaminas B6 y E, esenciales para la vida sexual. Cuando hay déficit de estas vitaminas suele darse apatía sexual y escasa fertilidad. Asimismo, el aguacate aporta hierro, beta-caroteno, ácido fólico y vitamina B3.

Espárragos

Beta-caroteno, vitaminas B y C.

Los espárragos contienen numerosos nutrientes beneficiosos para nuestra salud, como ácido fólico, beta-caroteno y vitamina C. Se trata, además, de un alimento muy sano para el hígado y, por tanto, favorece la regulación hormonal si hay algún desequilibrio en la producción de estrógenos o testosterona. Asimismo, son muy energéticos y estimulan la actividad sexual.

Apio

Beta-caroteno, selenio, vitaminas del grupo B.

En Oriente la raíz de apio es conocida por sus efectos afrodisíacos gracias a que combina el ácido fólico con el beta-caroteno y la vitamina B6. Asimismo, el apio es rico en selenio y estimula las glándulas pituitarias (glándulas principales que estimulan al resto de glándulas que producen hormonas sexuales). Además, no olvides que es un buen digestivo, por lo que te puede ayudar a que una copiosa cena o comida no te estropee el apetito sexual.

Tomates

Beta-caroteno, calcio, magnesio, vitaminas A, B y C.

La vitamina A es indispensable en la producción de hormonas masculinas y femeninas, y necesaria para promocionar la fertilidad. Y el tomate es un alimento muy rico en beta-caroteno (el precursor de la vitamina A, que se convierte en tal en la pared del intestino). Además, también favorece, como buen antioxidante, la salud del corazón, lo que acaba repercutiendo en una mayor resistencia sexual.

Cebollas y puerros

Beta-caroteno, calcio, cromo, magnesio.

Cebollas y puerros son alimentos muy saludables para el hígado, un órgano de gran importancia para la salud sexual femenina porque los estrógenos (las hormonas sexuales femeninas) se conjugan a partir del hígado. Asimismo, sus nutrientes (son ricos en calcio y ácido fólico, además de ser una excelente fuente de magnesio y beta-caroteno) equilibran el sistema hormonal femenino, sobre todo el de aquellas mujeres que sufren de fuertes dolores premenstruales o que se encuentran en la menopausia. Por otro lado, está comprobado que el consumo de cebollas y puerros favorece las funciones sexuales masculinas.

Lentejas

Calcio, manganeso, magnesio, zinc, vitamina B

Las lentejas son unas grandes aliadas para aumentar la libido ya que aportan vitaminas del grupo B, zinc, manganeso, calcio y magnesio. Una forma de combinar sus propiedades favorecedoras de la libido con otros alimentos es preparar un típico plato de la India -el dhal-, un puré que se elabora con lentejas, ajo y cebolla.

Champiñones y trufas

Calcio, hierro, magnesio, zinc, vitamina B.

Por su alto contenido de levadura, los champiñones son una excelente fuente del complejo vitamínico B, y muy ricos en calcio, hierro, magnesio y zinc.

Se pueden preparar de muchas maneras, ya sea crudos, en ensaladas o cocinados. Por su parte, la trufa está considerada como un excelente afrodisíaco desde hace muchos años, tanto por su característico olor como por su rareza. Se trata de un producto muy caro; así que, si lo prefieres, puedes emplear en muchas de tus recetas aceite de trufa, una alternativa mucho más barata.

Espinacas

Beta-caroteno, calcio, co-enzima Q10, hierro, magnesio, vitaminas B y C.

Crudas son una de las pocas verduras que contienen la co-enzima Q10. También son una de las fuentes más importantes de hierro y aportan ácido fólico, beta-caroteno, vitaminas B3 y B6, vitamina C, calcio y magnesio.

Ajo

Calcio, vitamina C.

Desde la Edad Media se sabe que el ajo favorece la circulación sanguínea y mantiene las arterias limpias. El endurecimiento de éstas es una de las principales causas de la impotencia sexual masculina, por lo que el ajo ayuda a garantizar las erecciones. Asimismo, el ajo contiene calcio y vitamina C.

Remolacha

Beta-caroteno, calcio, hierro, potasio, vitamina C.

Ayuda a mejorar las funciones del hígado, órgano donde se conjugan las hormonas sexuales. Contiene grandes dosis de beta-caroteno y vitamina C, muy protectores de los órganos sexuales, y es una excelente fuente de hierro, calcio y potasio, necesarios para tener una adecuada circulación sanguínea.

Calabaza

Calcio, hierro, magnesio, ácidos grasos esenciales del grupo omega-3 y omega-6, vitamina B.

Las semillas de calabaza contienen calcio, hierro, magnesio, zinc, vitamina B y ácidos grasos esenciales del grupo omega-3 y omega-6, imprescindibles en la producción de hormonas sexuales (testosterona en el caso de los hombres). Asimismo, estos ácidos grasos tienen propiedades antiinflamatorias, por lo que ayudan a prevenir el desarrollo excesivo de la próstata. La calabaza es deliciosa tanto cruda o ligeramente tostada con aceite de oliva y salsa de soja, en las ensaladas o como complemento frecuente en las sopas.

Berros

Beta-caroteno, calcio, hierro, magnesio, vitamina C.

Esta verdura ligeramente amarga con la que se pueden preparar deliciosas ensaladas es una rica fuente de hierro y potasio (ambos indispensables en la regulación del corazón y de la circulación sanguínea), calcio, beta-caroteno, magnesio y vitamina C. Por tanto es muy depurativa y ayuda a *limpiar* la sangre, por lo que es muy recomendable para aquellos hombres que padezcan una disfunción eréctil debido a causas cardíacas.

Brócoli

Hierro, vitaminas A, B y C.

Está considerado como una de las verduras que no pueden faltar en nuestra dieta porque, entre otras propiedades beneficiosas, ayuda a prevenir el cáncer. Además, es una valiosa fuente de hierro, vitamina B, vitamina A y C (las dos últimas, principales y primordiales antioxidantes), por lo que desempeña un importante papel en el ámbito sexual.

Nata

Arginina, calcio, vitamina B.

Es una excelente fuente de calcio, uno de los acompañantes predilectos para postes y dulces y resulta deliciosa con chocolate. También aporta grandes cantidades de vitamina B y arginina.

Chocolate negro

Magnesio, fenilalanina, potasio.

El chocolate es un alimento que gracias a su contenido en magnesio ayuda a combatir las contracciones musculares y dolores premenstruales, así facilita la vida sexual de muchas mujeres.

La fenilalanina que contiene ayuda a mejorar el estado de ánimo y a controlar los cambios de humor, así que nos predispone más para disfrutar del sexo.

Hierbas y especias: aliados para tu vida sexual

Crudas o cocinadas, existen bastantes hierbas aromáticas y especias que pueden ser muy beneficiosas para la salud y para nuestra vida sexual. Por ejemplo, el **azafrán** (la especia más cara del mundo) es famoso por sus efectos afrodisíacos. Ten en cuenta, en todo caso, que la única clase de azafrán que ayuda a potenciar la libido masculina es la *Crocus sativus*, que sólo se cultiva en Asia y en momentos muy específicos del año.

Por su parte, el **estragón** es un estimulador del corazón y el hígado (por lo que favorece la conjugación de estrógenos y testosterona, las hormonas sexuales) y es un gran purificador sanguíneo.

La **nuez moscada** es un importante estimulante sexual, aunque conviene recordar que su abuso resulta altamente tóxico para el organismo. En el siglo XVII esta especia era tan apreciada que ingleses y daneses lucharon por hacerse con el control de buena parte de su comercio.

Otra especia muy recomendable es la refrescante **albahaca**, un gran estimulador sexual que posee propiedades relajantes y antiestresantes.

Una buena **salsa** que combina las propiedades estimulantes de la albahaca con las de los piñones y el ajo es la salsa al **pesto**, deliciosa para acompañar muchos platos de pasta. Asimismo, puedes preparar un aliño tan delicioso como sano para tu vida sexual añadiendo unas hojas de estragón y albahaca a una botella de aceite de oliva.

Por último, el **jengibre** ayuda a que la sangre no espese, lo que favorece toda función eréctil. Contiene beta-caroteno, vitamina C, calcio, hierro, zinc y magnesio. Además, es uno de los conocidos afrodisíacos más antiguos. Podemos consumir jengibre a solas con un delicioso té, o añadírselo a gran variedad de platos.

Nutrientes y vitaminas que favorecen la salud sexual

Zinc

El zinc es el mineral más importante en nuestra salud sexual y fertilidad. Por ejemplo, la cola del esperma se forma a partir del zinc, el cual le concede su peculiar capacidad motriz. Asimismo, la salud y producción del esperma también está muy influida por el zinc (cada eyaculación consta, aproximadamente, de 5mg de zinc).

Durante la pubertad se desarrollan los órganos sexuales, y para que lo hagan adecuadamente es necesario que el organismo disponga de los niveles necesarios de zinc. Por otro lado, para que nuestros sentidos del gusto y el olfato (vitales en cada encuentro sexual) funcionen bien, el zinc es un mineral muy necesario.

Fuentes más ricas: el marisco en general (las ostras y las sardinas en particular), los huevos, el queso, el cordero, el pollo, el pavo, el hígado, los filetes de carne, el arroz integral, las lentejas, la calabaza, las semillas de sésamo, la espirulina y los cereales integrales.

Magnesio

El magnesio también es indispensable para regular las hormonas sexuales y la contracción muscular y relajación del corazón. Asimismo juega un papel muy importante en la producción de energía, y, por tanto, en la resistencia sexual. También resulta vital en la sensibilidad sexual, el despertar sexual, la eyaculación y el orgasmo.

Fuentes más ricas: las verduras y hortalizas de hoja verde, los frutos secos, el queso, el plátano, los granos de cereal, el caviar y el marisco.

Hierro

La hemoglobina es la encargada de transportar el oxígeno a cada una de las células de nuestro organismo y así producir energía.

El hierro es fundamental para la producción de hemoglobina. Y la energía es necesaria para poder sentirnos activos en cualquier ámbito, sexo incluido. Por otro lado, también necesitamos hierro para

absorber vitamina C, pues nuestro organismo no es capaz de almacenarla y es necesario consumirla cada día.
Fuentes más ricas: el hígado, la carne roja, el pollo, el caviar, las uvas, las ciruelas, los albaricoques, las yemas de los huevos, los cereales integrales, los berros, las espinacas, el brócoli, la remolacha y las legumbres. Recuerda que nuestro organismo asimila con mayor facilidad y rapidez el hierro de origen animal que el de origen vegetal.

Calcio

El calcio es fundamental para el buen funcionamiento de la transmisión nerviosa y, por tanto, para el sentido del tacto, vital para el sexo. Además, hay muchos movimientos musculares relacionados con el sexo, como la erección del pene y la contracción de los labios vaginales y otras zonas durante el orgasmo femenino, para los que se necesitan unos niveles adecuados de calcio.
Fuentes más ricas: los productos lácteos, verduras y hortalizas de hoja verde, las judías, la remolacha, los berros, las ciruelas, los frutos secos, la fruta deshidratada, el marisco, y todo aquel pequeño pescado que se coma entero (como por ejemplo, la sardina y el chanquete).

Yodo

La glándula tiroides se encarga de la regulación metabólica, la producción de energía y la formación de las hormonas. Si la glándula tiroides no funciona regularmente, inevitablemente se producirá una pérdida de la libido. Y el yodo es necesario para que nuestro organismo produzca tiroxina y se estimule la tiroides.
Fuentes más ricas: el marisco en general, las algas Kelp y demás (especialmente aquellas de color azul-verdoso), la espirulina, los berros, la remolacha suiza, los nabos (hojas incluidas), los zumos de frutas, la sandía, el pepino, las espinacas y el kimbombó.

Boro

Se trata de un oligoelemento fundamental en la producción de hormonas sexuales, que, consumido en cantidades mínimas, aumenta los niveles de estrógenos y testosterona.
Fuentes más ricas: todas las hortalizas, frutas y verduras.

Selenio

El selenio es esencial para la regulación de la actividad sexual, la fabricación de esperma y la fertilidad. Hay países cuya tierra tiene unos niveles de selenio muy bajos; por eso algunos de sus habitantes que presentan problemas sexuales o de fertilidad deben ingerir suplementos de selenio.
Fuentes más ricas: todo el marisco, las semillas de sésamo y de calabaza, las nueces del Brasil, la mantequilla, el hígado y los riñones.

Cromo

El cromo es necesario para que el organismo segregue insulina de manera correcta y ésta pueda regular los niveles de azúcar; así que la insulina juega un papel decisivo en la producción de energía. Por tanto, una carencia de cromo puede afectar a nuestra energía y la libido.

Fuentes más ricas: los productos con soja, la levadura de cerveza, los pepinos, las cebollas y el ajo.

Arginina

La arginina es un aminoácido básico que se encuentra en la proteína de los alimentos. Es importante para el desarrollo sexual pero, concretamente, es fundamental para que la cabeza, o cuerpo, de los espermatozoides esté sana.

Fuentes más ricas: todos los alimentos de origen animal, los productos lácteos y las palomitas de maíz (pues de los alimentos de origen vegetal es el que contiene la cantidad más elevada de arginina).

Co-enzima Q10

La co-enzima Q10 es un nutriente imprescindible en la fase final de producción energética a nivel celular en todas las células de nuestro organismo. De este modo, hay es necesario que sus niveles sean los adecuados y, asimismo, hay que tener en cuenta que con la edad producimos menos.

Fuentes más ricas: todos los alimentos de origen animal, la espirulina, las algas azul-verdosas y la clorela (todos los «alimentos verdes»: potentes fuentes vegetarianas de proteína), las espinacas, las sardinas y los cacahuetes.

Ácidos grasos esenciales

Estos ácidos grasos se denominan «esenciales» porque nuestro organismo no los produce y hay que obtenerlos mediante la dieta. Hay dos tipos: los omega-3 y los omega-6. Están implicados en funciones tan importantes para la vida sexual como el equilibrio hormonal, la transmisión nerviosa y la buena salud de la piel.

Fuentes más ricas del grupo omega-3: el pescado y el marisco, las semillas de sésamo, las semillas de calabaza y de girasol y sus correspondientes aceites.

Fuentes más ricas del grupo omega-6: los aguacates, la calabaza, las pipas de girasol, las semillas de sésamo, las semillas de lino y de cáñamo y sus correspondientes aceites.

Vitamina A

La vitamina A es un antioxidante fundamental para el buen estado del corazón y del sistema cardiovascular, lo que favorece la vida sexual, y puede encontrarse en forma de beta-caroteno o retinol. La vitamina A es imprescindible para la salud del ojo (concretamente para la vista) y el fortalecimiento de los huesos y los dientes. También resulta vital para mantener en óptima salud todas las articulaciones, en especial de los tejidos blandos.

Fuentes más ricas en beta-caroteno: verduras y hortalizas con las hojas de color verde oscuro, incluyendo la col rizada, la col suiza, las espinacas, los berros, el brócoli y el perejil, y las verduras y frutas de color amarillo-naranja, como el melón de cantalupo, los melocotones y los tomates.
Fuentes más ricas en retinol: el hígado de cerdo y de ternerillo, todos los lácteos, los huevos y los pescados grasos.

Vitaminas del grupo B (B1, B2, B3, B5, B6, B12 y colina)

Este grupo de vitaminas es vital para que nuestro organismo produzca energía y podamos digerir las proteínas y los hidratos de carbono de los alimentos. Por ejemplo, la vitamina B3 ayuda a que la sangre circule mejor (lo que ayuda en la erección) y estimula la histamina una hormona implicada en el orgasmo.
A su vez, la vitamina B6 está implicada en la producción y liberación de las hormonas sexuales, además de reducir los niveles de prolactina. También regula los niveles de testosterona en el hombre y es frecuente encontrar deficiencias en aquellos hombres con varios años de viropausia (climaterio masculino).
Y, aunque la colina no es estrictamente una vitamina, se incluye en este grupo. Es la precursora de la acetilcolina, la neurotransmisora de los impulsos nerviosos, por lo que es vital para impulsar los niveles de energía y la libido.
Fuentes más ricas: los cereales y granos integrales (especialmente el arroz integral), las legumbres, los frutos secos, el extracto de levadura, la carne, el pescado, los huevos, los productos lácteos, el aguacate, la nata, los champiñones y el brócoli.

Vitamina C

La vitamina C fortalece la vida sexual y los órganos sexuales. Asimismo, aumenta el volumen del semen y ayuda a que los espermatozoides no se enganchen unos a otros.
Fuentes más ricas: las zarzamoras, los arándanos, las cerezas, los cítricos, el kiwi, los mangos, las papayas, los higos, las patatas, el pimiento verde, el brócoli, la remolacha y los germinados (por ejemplo, de judías, lentejas, soja y alfalfa).

Vitamina E

La vitamina E es un poderoso antioxidante que «trabaja» conjuntamente con la vitamina C. Presenta numerosas propiedades beneficiosas y, en el apartado sexual, destaca por su labor de protectora de los tejidos internos, vital para la salud sexual.
Fuentes más ricas: todas las verduras y hortalizas de hoja verde; incluyendo el brócoli, los berros, las espinacas, el perejil, la col rizada, el aguacate (que, entre todo el grupo de verduras y hortalizas, posee uno de los niveles más elevados de vitamina E), el arroz integral, los frutos secos y sus correspondientes aceites, la avena y el germen de trigo.